FOURTH EDITION

Handbuch zur deutschen Grammatik

Arbeitsheft

WORKBOOK

Aufgaben zur schriftlichen Kommunikation

Jamie Rankin, *Princeton University*

Aufgaben zur Struktur

E. Pauline Hubbell

LAB MANUAL

Aufgaben zum Hörverständnis

Jamie Rankin, *Princeton University*

HOUGHTON MIFFLIN COMPANY   Boston   New York

Publisher: Rolando Hernández
Sponsoring Editor: Van Strength
Development Manager: Sharla Zwirek
Associate Editor: Judith Bach
Project Editor: Harriet C. Dishman
Senior Manufacturing Coordinator: Priscilla J. Bailey
Senior Marketing Manager: Tina Crowley Desprez
Associate Marketing Manager: Claudia Martínez

Copyright © 2004 by Houghton Mifflin Company. All rights reserved.

No part of this work may be reproduced or transmitted in any form or by any means, electronic or
mechanical, including photocopying and recording, or by any information storage or retrieval system
without the prior written permission of Houghton Mifflin Company unless such copying is expressly
permitted by federal copyright law. Address inquiries to College Permissions, Houghton Mifflin Company,
222 Berkeley Street, Boston, MA 02116-3764.

Printed in the U.S.A.

ISBN: 0-618-33813-6

6 7 8 9 -CRS- 09 08 07

Contents

Introduction ix

WORKBOOK
Aufgaben zur schriftlichen Kommunikation

1 Ferienbericht 3

2 In meiner Freizeit ... 5

3 Eine Biografie 7

4 Es war einmal ... 9

5 Kurzantworten 11
Meine Freunde 12

6 Pass bloß auf! 13
Zum Thema Verneinung: Ein kurzer Brief 14

7 Eine Mini-Autobiografie 17

8 In Zukunft ... 19

9 Das durfte, konnte, wollte ich ... 21

10 Semesterstress 23
Alles besser mit Präpositionen 24

11 Schaffen, schaffen ... 25

12 Sie haben das Wort! 27

13 Mensch, das war ____! 29

14 Vergleiche 31

15 Ein Interview 33
Fragen, Fragen 34

16 Drei kleine Aufgaben 35

17 Ich habe mich entschieden ... 37

18 Die Entschuldigung 39
Es macht (keinen) Spaß zu ... 40

19 Was ich dazu meine ... 41

20 Änderungen 43
Das hätte ich nicht getan ... 44

21 Eine in kurzer Zeit fertigzuschreibende Aufgabe! 45
Amtsdeutsch 46

22 Eins, zwei, drei ... 47

23 Liebes Tagebuch, ... 49
Familienchronik 50

24 Es war ein merkwürdiges Erlebnis ... 51

25 Aber das will ich doch! 53

26 Das Quartett 55

27 Dann sagte sie, dass ... 57

28 Was wird gerade gemacht? 59
Wie kann das verbessert werden? 60

29 Schreiben und umschreiben 61
Verben bearbeiten 62

30 Verben mit Präpositionen 63

Aufgaben zur Struktur

1 Word Order   67

2 Present Tense   71

3 Present Perfect Tense   75

4 Cases and Declensions   79

5 Articles and Possessive Adjectives • Articles Used as Pronouns   83

6 Negation • Imperatives   87

7 Simple Past Tense • Past Perfect Tense   91

8 Future Tense • Future Perfect Tense   95

9 Modal Verbs   97

10 Prepositions   101

11 Conjunctions   105

12 Noun Genders • Noun Plurals • Weak Nouns   111

13 Adjectives   113

14 Comparative and Superlative   119

15 Questions and Interrogatives   123

16 Personal, Indefinite, and Demonstrative Pronouns   127

17 Reflexive Pronouns • *Selbst* and *selber* • *Einander*   131

18 Infinitives   135

19 *Da*-Compounds • Uses of *es*   139

20 Subjunctive (Subjunctive II)   143

21 Adjective Nouns • Participial Modifiers   147

22 Numerals and Measurements   151

23 Seasons, Dates, and Time Expressions   153

24 Adverbs   155

25 Particles   159

26 Relative Pronouns   161

27 Indirect Discourse • Subjunctive I   165

28 Passive Voice   167

29 Verb Prefixes   171

30 Prepositions as Verbal Complements   175

LAB MANUAL
Aufgaben zum Hörverständnis

1 Wetten, dass ...? 181
In den Sommerferien 182

2 Beim Psychiater 183
Inserate 184

3 Mal nach München 187
Gerüchte 188

4 Was haben sie denn gesagt? 189

5 Artikel oder kein Artikel, das ist hier die Frage 191

6 Befehl ist Befehl 193
Alles für die Liebe 194

7 Geklaut! 195

8 Das Klassentreffen 197
Bericht über das EU-Gipfeltreffen 198

9 Die Erbschaft 201
Gruppentherapie 202

10 Präpositionen 203

11 Konjunktionen 205
Urlaubspläne 205

12 Substantiv und Genus 207
Ein Märchen 207

13 Ein neues Haus 209
L. L. Bohne 210

14 Welcher E-Mail-Dienst ist der beste? 211
Reaktionen 213

15 Der Bankraub 215

16 Im Möbelgeschäft 217
Ach, diese Ausländer! 218

17 Die Einladung 219
Das Jobinterview 220

18 Ein kleiner Krimi 221

19 Der Stadtplan 223
Ein Märchen 224

20 Ach, das Studentenleben! 225
Wie wär's mit dem Konjunktiv? 226

21 Erweiterte Partizipialkonstruktionen 227
Was gibt's im Fernsehen? 228

22 Ein bisschen Mathematik 229

23 An der Hotelrezeption 231
In den Schweizer Alpen 232

24 Ach, die Liebe ... 233
Wie ich den Mauerbau erlebt habe ... 234

25 Internet im Klassenzimmer 235
Was sagst du dazu? 237

26 Fotos vom Urlaub 239
Relativ einfach 240

27 Direkt gesagt 241
Der Bürgermeister spricht 242

28 Auf in den Urlaub! 243
Nur nicht Passiv! 244

29 Situationen 245

30 Präpositionen 247
Perspektive 247

Introduction

This *Arbeitsheft* complements **Handbuch zur deutschen Grammatik,** Fourth Edition, in two important ways: first, by carefully following the sequence of grammatical structures in each chapter and, more significantly, by utilizing these structures as a means for functional communication. It is divided into two sections: a workbook that focuses on writing skills, and a lab manual that develops listening comprehension. In the workbook section, there are *Aufgaben zur schriftlichen Kommunikation* that lead learners through process-writing steps, with the goal of open-ended, personally meaningful writing. Following these are *Aufgaben zur Struktur,* a series of controlled exercises designed to reinforce the major grammar points in each chapter. The lab manual provides *Aufgaben zum Hörverständnis* based mainly on non-scripted, improvised scenarios created by native German speakers. Each of these sections is explained more fully below.

Aufgaben zur schriftlichen Kommunikation

Most of the writing activities are based on process-writing strategies in which students are led through various steps (*Schritte*)—brainstorming; organizing ideas; generating additional vocabulary; and forming sentences, paragraphs, or short essays. These strategies emphasize planning, which studies have shown to foster increased complexity in writing output. In addition, the majority of these activities encourage students to express their own meanings within the guidelines provided; thus they bridge the gap between rule-learning and using those rules for effective, meaningful communication.

Aufgaben zur Struktur

The second portion of the workbook section provides learners with extensive and thorough practice of specific grammar points and vocabulary from the *Wortschatz* section of **Handbuch zur deutschen Grammatik,** Fourth Edition. The exercises follow the presentation of grammar and vocabulary, chapter by chapter, and offer a variety of practice formats: questions/answers, sentence completion, sentence transformation, translation, and responses to specific situations. Where possible, the exercises have been contextualized to furnish not only a meaningful framework for practice, but also additional cultural information.

When appropriate, a single grammar point is practiced from various angles in consecutive exercises with a concluding exercise requiring students to synthesize knowledge gained in preceding exercises. The chapter on adjective endings, for example, practices the strong and weak endings individually, in various contexts, before asking learners to combine these in the more natural combinations one finds in real speech and writing.

An Answer Key to the *Aufgaben zur Struktur* can be provided to learners (at the discretion of the instructor) so that they can correct their own work. In the Answer Key, alternate answers are designated by slashes, with the preferred answers preceding other possible answers. Optional words are enclosed in parentheses. In determining possible answers to be included in the key, particularly in matters of word order, the rules and guidelines presented in **Handbuch zur deutschen Grammatik,** Fourth Edition, were followed.

Aufgaben zum Hörverständnis

The audio program that accompanies the lab manual section of the *Arbeitsheft* departs from traditional audio programs by providing unscripted native-speaker discourse in a wide array of communicative situations. The scenarios presented here are conversations and group discussions for which selected parameters were provided for the speakers—such as salient vocabulary, pertinent grammatical features, and topics of general interest. Within these parameters, however, the speakers were free to improvise and to develop the discourse naturally—which results in scenes rich in natural intonation, the normal overlapping and cutting in that characterizes real dialogue, and (we think) enough humor and genuine personality to sustain listener interest. Where possible, elements of the *Zum Beispiel* texts were incorporated into the scenes, resulting in dialogues that focus not only on particular forms but also familiar topics.

Since the activities in the lab manual are mainly comprehension-based, they do not require learners to understand every word. Instead, they focus on global meaning, listening for key words or phrases, identifying situations and register, answering comprehension questions, summarizing plots, and determining the usage of significant grammatical structures. Students are instructed to listen a certain number of times to each conversation in the course of the tasks, but they should be encouraged to listen as often as they want, to go back and pick up bits of speech they missed, and to note the rhythms and cadences of intonation used by the speakers.

To aid instructors, a complete transcription of all recorded material and an Answer Key to the *Aufgaben zum Hörverständnis* are provided on the Instructor's ClassPrep CD-ROM. The Audio Program is also available on CD for student purchase.

Jamie Rankin
E. Pauline Hubbell

WORKBOOK

■

Aufgaben zur schriftlichen Kommunikation

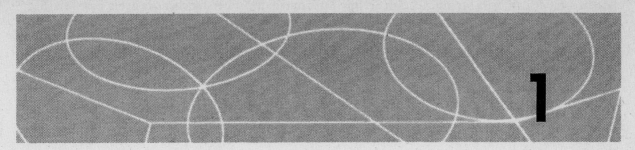

Ferienbericht

Schreiben Sie einen kurzen Aufsatz zum Thema Ferien – aber in Schritten (*steps*), damit Sie den Schreibprozess in einer Fremdsprache üben (*practice*) können.

Schritt 1: Schreiben Sie unter Liste **A** einige Stichworte zu Ihren letzten Ferien (z.B.: **Freizeit / arbeiten / langweilig / reisen / interessant / Familie / zu Hause / nicht zu Hause / Kino / Wetter / Freunde**). Schreiben Sie dann unter Liste **B** ein oder zwei Wörter, die etwas mit jedem Wort aus Liste **A** zu tun haben (z.B.: **Freizeit – schwimmen, Kino; arbeiten – Firma, Fabrik, Restaurant, interessant; reisen – nach Orlando**).

A   **B**

1. _____   _____
2. _____   _____
3. _____   _____
4. _____   _____
5. _____   _____

Schritt 2: Schreiben Sie jetzt für jede Wortgruppe einen Satz.

1. _____
   _____
2. _____
   _____
3. _____
   _____
4. _____
   _____
5. _____
   _____

Copyright © Houghton Mifflin Company. All rights reserved.

Schritt 3: Sie haben es ja im *Handbuch* gelesen: Wenn man gutes Deutsch schreiben will, dürfen nicht alle Sätze mit dem Subjekt beginnen. Lesen Sie Ihre Sätze durch und unterstreichen Sie in ein paar Sätzen Elemente, die am Anfang stehen könnten, besonders Zeitausdrücke und Adverbien. Schreiben Sie dann die Sätze hier unten in einem Abschnitt (*paragraph*). Welche Reihenfolge (*order*) präsentiert die Informationen am besten? Brauchen Sie vielleicht hier und da einen neuen Satz als Übergang (*transition*) von einem Satz zum nächsten?

_____

_____

_____

_____

_____

_____

_____

_____

_____

_____

_____

_____

_____

_____

_____

_____

_____

_____

4   *Handbuch zur deutschen Grammatik* ▓ *Arbeitsheft*   Copyright © Houghton Mifflin Company. All rights reserved.

NAME _____ DATUM _____

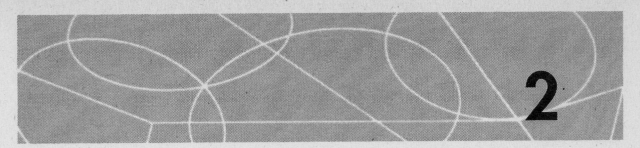

In meiner Freizeit ...

So lernen Sie jemand in Ihrer Deutschstunde besser kennen: Führen Sie ein Interview als Hausaufgabe.

Schritt 1: Benutzen Sie die Liste von Freizeitbeschäftigungen und fragen Sie eine Partnerin/einen Partner, ob sie/er das gern macht oder nicht. Kreuzen Sie die Beschäftigungen an, die sie/ihn interessieren.

_____ Sport treiben   _____ lesen   _____ Musik hören

_____ ein Instrument spielen _____ Inlineskating gehen   _____ segeln

_____ Fitnesstraining machen _____ fotografieren   _____ Rad fahren

_____ alte Filme sehen   _____ ins Kino gehen   _____ Videospiele machen

_____ tanzen gehen   _____ MTV sehen   _____ im Internet surfen

_____ Schach spielen   _____ spazieren gehen   _____ schlafen

_____ anderes: _____

Schritt 2: Wählen Sie (*choose*) fünf angekreuzte Antworten und fragen Sie Ihre Partnerin/Ihren Partner nach ihren/seinen Freizeitbeschäftigungen, z.B.: **Wie oft tust du das? Spielst du gut? Ist es teuer?** Schreiben Sie die Informationen für jedes Stichwort (*key word*) in kurzen Sätzen.

Stichwort   Informationen

1. _____   _____

_____

2. _____   _____

_____

3. _____   _____

_____

4. _____   _____

_____

5. _____   _____

_____

Copyright © Houghton Mifflin Company. All rights reserved.   Aufgaben zur Kommunikation ▪ 2   **5**

Schritt 3: Nun haben Sie die Elemente für einen kurzen Aufsatz. Nehmen Sie Ihre Sätze aus Schritt 2 und planen Sie, wie Sie diese Sätze zusammenbauen können. Welche Konjunktionen brauchen Sie? Wie können Sie **gern** und **gefallen** verwenden? Mit welchen Elementen können Sie die Sätze beginnen? Was ist die interessanteste Reihenfolge? Schreiben Sie den Aufsatz hier und lassen Sie Ihre Partnerin/Ihren Partner den Aufsatz lesen, bevor Sie ihn abgeben.

_____

_____

_____

_____

_____

_____

_____

_____

_____

_____

_____

_____

_____

_____

_____

_____

_____

_____

_____

_____

 Copyright © Houghton Mifflin Company. All rights reserved.

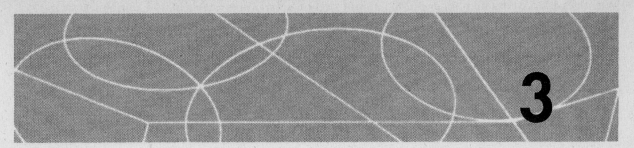

Eine Biografie

In der **Anwendung** zu diesem Kapitel ist ein Beispiel für eine kurze Biografie – im Perfekt – über Sigmund Freud. Sicher kennen Sie viele andere Menschen, über deren Leben Sie auf ähnliche (*similar*) Weise erzählen können.

Schritt 1: Wählen Sie eine solche Person, Mann oder Frau, und schreiben Sie mindestens zehn Aussagen über diesen Menschen im Perfekt. Die Identität dieses Mannes/dieser Frau soll ein Geheimnis (*secret*) bleiben – also schreiben Sie nicht den Namen, sondern **sie** oder **er** oder **diese Frau/dieser Mann**.

Ein paar nützliche Verben (die starken Verben sind mit einem Sternchen (*) markiert; die Partizipien dafür finden Sie in *Appendix 4* des **Handbuchs**).

ist geboren	*sterben	leben	entdecken (*to discover*)
wohnen	*schreiben	*helfen	*erfinden (*to invent*)
komponieren	*sprechen	arbeiten	*aufwachsen (*to grow up*)
kämpfen	*werden	reisen	gründen (*to found*)
organisieren	spielen	malen	regieren (*to rule*)

1. _____

2. _____

3. _____

4. _____

5. _____

6. _____

7. _____

8. _____

9. _____

10. _____

Copyright © Houghton Mifflin Company. All rights reserved.

Schritt 2: Wie schreibt man aus solchen einzelnen (*single, individual*) Aussagen einen Aufsatz? Etwas Wichtiges dabei ist das Kombinieren: Man nimmt zwei oder drei kurze Aussagen und kombiniert sie mit Konjunktionen, um längere und komplexere Aussagen zu bilden.

BEISPIEL Zwei Aussagen sind „Sie ist in Deutschland aufgewachsen" und „Sie hat berühmte Filme in Hollywood gemacht." Sie schreiben: „*Obwohl* sie in Deutschland aufgewachsen ist, hat sie in Hollywood berühmte Filme gemacht."

Kombinieren Sie jetzt ein paar von Ihren Aussagen in Schritt 1 miteinander, sodass sie eine neue Aussage bilden.

1. _____

_____

2. _____

_____

Schritt 3: Schreiben Sie jetzt einen kurzen Aufsatz über diesen Menschen, indem Sie die Sätze aus Schritt 2 und noch mehr kombinierte Aussagen aus Schritt 1 benutzen. Vergessen Sie nicht, die Sätze manchmal mit einem anderen Element als dem Subjekt zu beginnen.

_____

_____

_____

_____

_____

_____

_____

_____

_____

_____

_____

_____

_____

_____

_____

_____

Lesen Sie nun Ihren Aufsatz einer Partnerin/einem Partner vor und sehen Sie, ob sie/er den Namen des beschriebenen Menschen erraten (*guess*) kann.

 Copyright © Houghton Mifflin Company. All rights reserved.

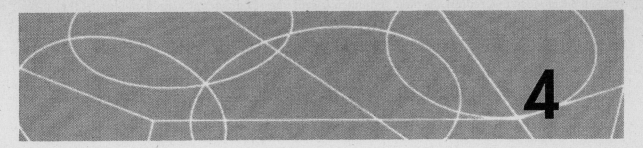

Es war einmal ...

Sie kennen bestimmt ein paar Märchen (*fairy tales*) – aber haben Sie schon mal selber eins geschrieben? Hier finden Sie alles, was Sie dafür brauchen. Benutzen Sie so viele Vokabeln aus der Liste, wie Sie können, und auch andere Vokabeln, die Sie interessant finden, und erzählen Sie Ihre eigene Geschichte. (Denken Sie dabei an Direkt- und Indirektobjekte, Dativverben und Genitivformen. Die Verbformen fürs Präteritum finden Sie in *Appendix 4* im **Handbuch**).

der Frosch (*frog*)	antworten
das Gift (*poison*)	bringen
das Gold	empfehlen
die Hexe (*witch*)	erklären
die Hütte (*hut*)	erzählen
das Pferd (*horse*)	geben
der Prinz	gefallen
die Prinzessin	glauben
das Reh (*deer*)	helfen
das Schloss (*castle*)	küssen (*to kiss*)
das Spinnrad (*spinning wheel*)	leihen
das Versprechen (*promise*)	schenken
der Vogel (*bird*)	verwandeln [+ **Direktobjekt**] (*to change*)
der Wald (*forest*)	wohnen
der Zwerg (*dwarf*)	zeigen

Schritt 1: Beginnen Sie mit „Skelettsätzen". Benutzen Sie nur die wichtigsten Vokabeln für eine Idee und schreiben Sie diese Wörter auf. Später können Sie einen ganzen Satz daraus machen.

BEISPIEL   Zwerg / geben / Prinzessin / Frosch
Sie schreiben später: *Der Zwerg gab der Prinzessin einen Frosch.*

Idee: _____

Idee: _____

Idee: _____

Idee: _____

Idee: _____

Idee: _____

Idee: _____

Idee: _____

Copyright © Houghton Mifflin Company. All rights reserved.

Schritt 2: Ordnen Sie (*Put in order*) diese Ideen, damit sie für eine Handlung (*plot*) logisch sind. Denken Sie an noch mehr Ideen, die diese verbinden (*tie together*) können, und schreiben Sie jetzt Ihr eigenes Märchen.

Titel: _____

_____

_____

_____

_____

_____

_____

_____

_____

_____

_____

_____

_____

_____

_____

_____

_____

_____

_____

_____

10 *Handbuch zur deutschen Grammatik* ▓ *Arbeitsheft*　Copyright © Houghton Mifflin Company. All rights reserved.

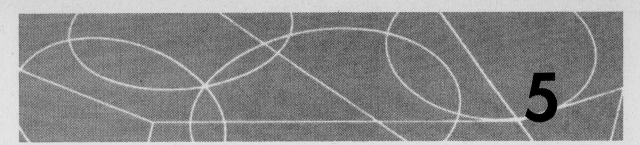

Kurzantworten

Lesen Sie diese Fragen und beantworten Sie jede mit einem ganzen Satz. Denken Sie darüber nach, ob der Satz einen Artikel braucht oder nicht.

1. Was halten Sie vom Kommunismus/Sozialismus/Kapitalismus? Wählen Sie eins der drei Themen oder besprechen Sie einen anderen *-ismus*.

   _____

   _____

   _____

2. Warum gehen Sie (nicht) in die Kirche?

   _____

   _____

   _____

3. Vergleichen Sie zwei Jahreszeiten (*seasons of the year*) dort, wo Ihre Familie wohnt.

   _____

   _____

   _____

4. Wie fahren Sie von der Uni nach Hause, wenn Sie Ihre Familie besuchen?

   _____

   _____

   _____

Copyright © Houghton Mifflin Company. All rights reserved.

5. Machen Sie Aussagen über drei der folgenden Länder: der Kongo, der Sudan, die Schweiz, die Türkei, die Vereinigten Staaten.

_____

_____

_____

_____

6. Was für ein Instrument können Sie spielen? Welches möchten Sie spielen?

_____

_____

_____

Meine Freunde

Schreiben Sie nun etwas über zwei Ihrer Freunde, das heißt, über eine Freundin und einen Freund und über ihre und seine Eigenschaften (*characteristics*).

Schritt 1: Lesen Sie sich die Kategorien unten durch und wählen Sie vier davon aus. Machen Sie sich ein paar Notizen über sie und über ihn.

	sie	er
Familie		
Zimmer		
Kleidung		
Hobbys		
Lieblingsfilme, -bücher usw.		
Hauptfach, andere Fächer		

Schritt 2: Benutzen Sie Ihre Notizen aus Schritt 1 und schreiben Sie einen kurzen Abschnitt, in dem Sie Ihre Freundin und Ihren Freund vergleichen. Verwenden Sie dabei die Possessivpronomen (**ihr-, sein-**). Sie brauchen nur einen Satz pro Kategorie zu schreiben.

_____

_____

_____

_____

_____

_____

_____

_____

   Copyright © Houghton Mifflin Company. All rights reserved.

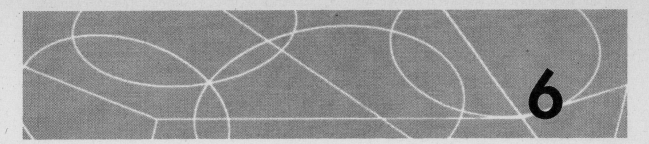

Pass bloß auf!

A. Sie haben einen Sohn, Christoph, der gerade seinen Führerschein (*driver's license*) gemacht hat. Nun fragt er sie ob er heute Abend das Familienauto haben kann, um mit seinen Freunden herumzufahren. Sie sagen „Ja", aber Sie haben ein bisschen Angst und geben ihm Anweisungen (*instructions*) im Imperativ, bevor er losfährt.

Ideen

fahren	vor Mitternacht (0.00 Uhr)
anrufen	essen
bezahlen	Geld
die Polizei	Radio
trinken	tanken (*to get gas*)
aufpassen	nicht vergessen
langsam	zurückkommen
spät	dunkel

„Also, Christoph, du darfst das Auto schon fahren, aber ..."

1. _____

2. _____

3. _____

4. _____

5. _____

Copyright © Houghton Mifflin Company. All rights reserved.

B. Stefan, Franziska und Uli sind Studenten. Es ist Freitag – keine Aufgaben, morgen keine Vorlesungen, und jetzt wollen sich alle drei amüsieren. Aber wie? Schreiben Sie ihre Diskussion auf und verwenden Sie dabei die deutsche Imperativform für *"Let's ..."* Unten finden Sie ein paar Reaktionen, die für eine solche Diskussion vielleicht nützlich sind.

Ach, das finde ich (langweilig/gefährlich/doof/zu teuer usw.)

Mensch, das ist doch (stinklangweilig)!

Ach, das machen wir immer.

Super!

Prima Idee!

Ja! warum nicht?

Wir könnten auch/nachher ...

Wie wär's mit ... ?

FRANZISKA: _____

STEFAN: _____

ULI: _____

_____ : _____

_____ : _____

_____ : _____

_____ : _____

_____ : _____

_____ : _____

_____ : _____

_____ : _____

_____ : _____

_____ : _____

_____ : _____

 Copyright © Houghton Mifflin Company. All rights reserved.

Zum Thema Verneinung: Ein kurzer Brief

Sie waren letzte Woche auf einer Reise in Deutschland und haben in einem Hotel übernachtet. Aber was für ein Hotel! So was Schlechtes haben Sie noch nie erlebt. *Nichts* war gut, weder der Service noch das Zimmer. Sie möchten sich über diese furchtbare Nacht beschweren (*complain*). Tun Sie das in Form eines Briefes, den Sie gleich hier schreiben und in dem Sie alles beschreiben, was im Hotel schlecht war.

Stichworte

das Bad	die Getränke	das Personal	das Telefon
das Bett	die Heizung	die Rechnung	der Teppich
die Dusche	der Kellner	das Restaurant	die Toilette
das Essen	die Kellnerin	die Rezeption	(un)bequem
der Fernseher	der Nachbar (die Nachbarn)	die Schlüssel	(un)pünktlich
das Gepäck	die Nachbarin(nen)	die Stühle	

Benutzen Sie einige dieser Stichworte und einige der Negationsvokabeln aus dem **Wortschatz** von Kapitel 6 im *Handbuch* und schreiben Sie einen Brief an den Hotelinhaber (*proprietor*). Verwenden Sie dabei so viele Vokabeln aus dem **Wortschatz,** wie Sie können.

An
Herrn Otto Schmutzkammer
Hotel Friesischer Hof
Am Schornstein 13
80333 München

Sehr geehrter Herr Schmutzkammer!

_____

_____

_____

_____

_____

_____

_____

_____

_____

_____

_____

_____

_____

Mit freundlichen Grüßen

Copyright © Houghton Mifflin Company. All rights reserved.

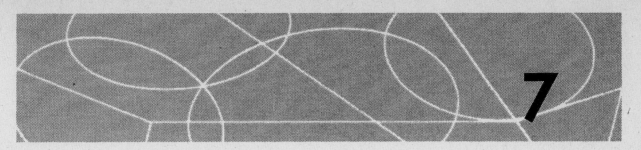

Eine Mini-Autobiografie

A. Ergänzen Sie diese Satze mit Aussagen über Ihr eigenes Leben. Benutzen Sie Verben im Präteritum.

BEISPIEL Als ich ein Jahr alt war,
schlief ich fast den ganzen Tag.
wollte ich immer essen.

1. Als ich fünf Jahre alt war,

_____

_____

2. Als ich zum ersten Mal in die Schule ging,

_____

_____

3. In den Sommerferien

_____

_____

4. Als ich 16 Jahre alt wurde,

_____

_____

5. Als ich mit meinen Schulkameraden zusammen war,

_____

_____

Copyright © Houghton Mifflin Company. All rights reserved.

B. Schreiben Sie jetzt etwas Längeres über einen einzigen Tag – z.B. **gestern.**

Schritt 1: Denken Sie an den Tag zurück und schreiben Sie eine Liste mit Ihren Aktivitäten. Benutzen Sie Infinitivverben.

aufstehen _____   _____   _____

sich duschen _____   _____   _____

_____   _____   _____

Schritt 2: Kombinieren Sie zwei dieser Verben in einem Satz. Verwenden Sie **nachdem,** das Plusquamperfekt und das Präteritum.

BEISPIEL   aufstehen / duschen
Nachdem ich aufgestanden war, duschte ich mich.

_____

_____

Schritt 3: Erzählen Sie chronologisch von dem Tag, indem Sie mindestens acht von den Verben in Schritt 1 und zwei oder drei Beispiele davon im Plusquamperfekt (wie oben in Schritt 2) verwenden. Vergessen Sie nicht, die Satzanfänge zu variieren.

_____

_____

_____

_____

_____

_____

_____

_____

_____

_____

_____

_____

_____

_____

_____

_____

_____

   Copyright © Houghton Mifflin Company. All rights reserved.

NAME _____ DATUM _____

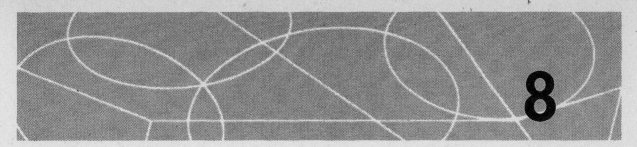

8

In Zukunft ...

A. Georg (21 Jahre) und Monika (22 Jahre) sind Universitätsstudenten. Spekulieren Sie über ihre Zukunft im Jahre 2020.

Schritt 1: Schreiben Sie Ihre Ideen als Stichworte in die Tabelle.

	Georg	Monika
Beruf		
Hobbys		
Familienstand (*marital status*)		
Wohnort		
Probleme		
anderes: (Auto, Freunde, Urlaub usw.)		

Schritt 2: Bilden Sie mit den gesammelten Stichworten Sätze. Verwenden Sie dabei auch einige Verben im Futur. Sie können entweder nur über eine Person schreiben oder beide vergleichen. Wie Sie im *Handbuch* gelesen haben, gibt es oft bei solchen Informationen eine Mischung von Futur und Präsens.

Im Jahre 2020 wird Monika _____ Jahre alt sein. Sie wird wohl _____

_____

_____

_____

_____

_____

_____

_____

_____

_____

Copyright © Houghton Mifflin Company. All rights reserved.

B. Wie wird es wohl in Zukunft bei Ihnen oder in Ihrem Land aussehen? Nehmen Sie eins von diesen zwei Themen und schreiben Sie einen kurzen Aufsatz darüber, auch mit einer Mischung von Präsens und Futurformen der Verben. Wenn Sie über sich selbst schreiben wollen, benutzen Sie einige Stichworte von Georg und Monika.

Alter (*age*)	**Hobbys**	**Beruf**	**Erwartungen** (*expectations*)
Probleme	**Pläne**	**Träume** (*dreams*)	**Ziele** (*goals*)
Familienstand	**Wohnort**		

Wenn Sie über Ihr Land schreiben wollen, können Sie einige von diesen Stichworten benutzen.

Städte	**Medien**	**Familien**	**Umwelt** (*environment*)
Freizeit	**Medizin**	**Autos**	**Unterhaltung** (*entertainment*)

Im Jahre 2020 _____

_____

_____

_____

_____

_____

_____

_____

_____

_____

_____

_____

_____

_____

_____

_____

_____

_____

_____

_____

20 *Handbuch zur deutschen Grammatik ▨ Arbeitsheft* Copyright © Houghton Mifflin Company. All rights reserved.

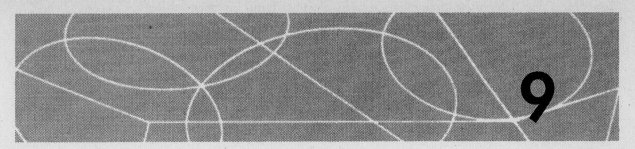

Das durfte, konnte, wollte ich ...

A. Durften Sie als Kind alles im Fernsehen sehen, was Sie wollten? Mussten Sie manchmal etwas essen, was Sie nicht mochten? Erzählen Sie nun ein bisschen aus Ihrer Kindheit, indem Sie beschreiben, was Sie tun oder nicht tun durften, konnten, mussten, sollten oder wollten. Denken Sie dabei ans Essen, an die Schule, an Ihre Ferien mit der Familie, an Ihre Freunde und an das Leben zu Hause.

Schritt 1: Was fällt Ihnen ein (*occurs to you*) zu diesen Themen? Schreiben Sie zu jeder der folgenden Wortverbindungen mit Modalverben einige Stichworte auf.

konnte besonders gut: _____

konnte nicht gut: _____

wollte nicht: _____

durfte nicht: _____

musste: _____

wollte, aber durfte/konnte nicht: _____

durfte, aber konnte/wollte nicht: _____

sollte, aber wollte nicht: _____

Schritt 2: Bilden Sie jetzt mit den Elementen aus Schritt 1 einfache Sätze (z.B.: „Ich musste immer Erbsen essen“).

1. _____

2. _____

3. _____

4. _____

5. _____

6. _____

Copyright © Houghton Mifflin Company. All rights reserved.

Schritt 3: Bilden Sie mit diesen kurzen Sätzen längere Sätze, indem Sie sie miteinander verbinden (*combine*) (z. B.: „**Ich musste immer Erbsen essen, obwohl ich nur Eis essen wollte.**"). Einige nützliche Konjunktionen sind: **obwohl, weil, aber, nicht ... sondern, als** und **wenn**. Sie dürfen diesen Modalsätzen auch andere Informationen hinzufügen (*add*).

1. _____

_____

2. _____

_____

3. _____

_____

4. _____

_____

5. _____

_____

B. Im **Wortschatz** von Kapitel 9 finden Sie nützliche Ansdrücke für *to like*. Schreiben Sie ein paar Sätze mit diesen Vokabeln und erzählen Sie, was Ihnen gefällt oder nicht gefällt.

Vokabeln

gern haben	**mögen/möchte**	**gefallen**
Lust haben zu	**Lust haben auf**	**hätte(n) gern**

1. _____

_____

2. _____

_____

3. _____

_____

4. _____

_____

5. _____

_____

   Copyright © Houghton Mifflin Company. All rights reserved.

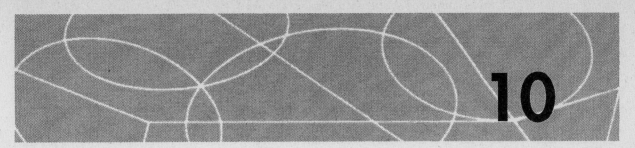

Semesterstress

Wenn man über sich selbst oder seine Arbeit spricht, will man oft Informationen geben, die am besten mit Präpositionen auszudrücken sind.

Ich arbeite an diesem Aufsatz seit ...
Ich interessiere mich überhaupt nicht für ...
Ich belege diesen Kurs wegen ...

Schritt 1: Lesen Sie die Liste mit Präpositionen und benutzen Sie sie, um kurze Aussagen über sich selbst zu schreiben.

BEISPIEL   bis: *bis Ende des Semesters*

bis: _____   bei: _____

für: _____   gegenüber: _____

gegen: _____   mit: _____

ohne: _____   nach: _____

aus: _____   seit: _____

außer: _____   zu: _____

während: _____   wegen: _____

Schritt 2: Schreiben Sie einen kurzen Abschnitt, in dem Sie mindestens acht von diesen präpositionalen Ausdrücken benutzen.

_____

_____

_____

_____

_____

_____

_____

_____

_____

Copyright © Houghton Mifflin Company. All rights reserved.

Alles besser mit Präpositionen

Wie Sie im *Handbuch* in **Tipps zum Schreiben** gelesen haben, können Sie Ihre Sätze mit Präpositionen interessanter und informativer machen. Manche Sätze brauchen das, wie Sie hier sehen:

Ein Mann öffnete die Tür. Es war ein Restaurant. Er ging hinein.

Aber mit Präpositionen (*und ein bisschen Fantasie*):

Ein Mann mit einer roten Rose zwischen den Zähnen öffnete die Tür zum Restaurant und ging hinein.

Lesen Sie nun den folgenden Text ganz durch und verbessern Sie ihn mit Ihrer Fantasie und einigen Präpositions-Phrasen. Versuchen Sie dabei auch Wechselpräpositionen (*two-way prepositions*) wie **an** und **auf** zu verwenden.

So geht die Geschichte weiter – aber Sie müssen sich den Schluss selber ausdenken.

Der Mann wartete auf den Kellner. Der Kellner zeigte ihm einen Tisch. Der Mann setzte sich. Dann kam eine Frau durch die Tür. Sie trug einen Hut. Der Kellner kam nicht. Sie sah den Mann und wollte dort sitzen. Sie setzte sich. Der Mann aß seine Suppe. Während die Frau sich setzte, fiel der Hut auf den Tisch. Der Kellner sah sie endlich und brachte ihr eine Speisekarte. Sie bestellte auch eine Suppe. Während sie wartete, begann sie zu sprechen ...

_____

_____

_____

_____

_____

_____

_____

_____

_____

_____

_____

_____

_____

_____

_____

   Copyright © Houghton Mifflin Company. All rights reserved.

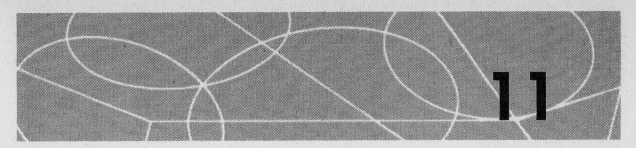

Schaffen, schaffen ...

Tobias ist auf Jobsuche und heute hat er ein Vorstellungsgespräch bei einer großen Firma. Unten können Sie lesen, was er bei dem Gespräch über sich selbst sagt.

bin sehr zuverlässig (*dependable*)	habe noch nie einen richtigen Job gehabt
kann Webseiten entwerfen (*design*)	interessiere mich für Technik
kann gut Englisch	interessiere mich nicht für Produktion
kann gut Französisch	interessiere mich nicht für Planung und Strategie
kann kein Japanisch	arbeite gern mit anderen Menschen zusammen
will in Hamburg arbeiten	ging aufs Gymnasium (*university-track secondary school*)
will nicht in Berlin arbeiten	machte keinen Abschluss (*did not graduate*)
will nicht in München arbeiten	arbeitete letzten Sommer in der Firma meines Onkels
arbeite nicht so gern allein	arbeitete nicht mehr nach dem Job
will jetzt gleich anfangen	der Sommerjob hat mir gefallen
brauche Geld	hatte dort viel Abwechslung (*variety/variation*)

Eine solche Reihe von Fakten ist nicht besonders interessant zu lesen, auch wenn alles dabei korrekt ist. Aber mit Konjunktionen kann man solche Aussagen aneinander binden und die Zusammenhänge (*connections*) zeigen.

BEISPIEL   habe noch nie einen richtigen Job gehabt / bin sehr zuverlässig
Obwohl ich noch nie einen richtigen Job gehabt habe, bin ich sehr zuverlässig.

A. Schreiben Sie nun einen Abschnitt, in dem Sie die Aussagen oben miteinander verbinden. Verwenden Sie dazu einzelne Konjunktionen und auch Ausdrücke wie **sowohl ... als auch** und **nicht nur ... sondern auch**.

_____

_____

_____

_____

_____

_____

_____

_____

B. Beim Schreiben werden Sie gesehen haben, dass man solche Aussagen auf verschiedene Weise (*in different ways*) miteinander verbinden kann. Schreiben Sie diese Informationen noch einmal, indem Sie die Aussagen neu kombinieren und andere Konjunktionen verwenden. Neben den einzelnen Konjunktionen verwenden Sie diesmal die Ausdrücke **entweder ... oder** und **weder ... noch.**

_____

_____

_____

_____

_____

_____

_____

_____

_____

_____

   Copyright © Houghton Mifflin Company. All rights reserved.

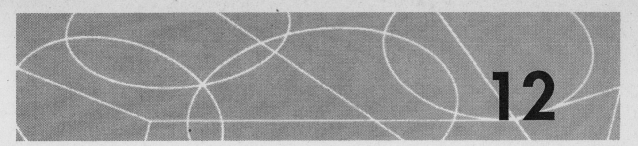

Sie haben das Wort!

Dieses Spiel kennen Sie sicher auf Englisch. Versuchen Sie es jetzt auf Deutsch. Unten finden Sie eine Liste von Wortkategorien. Schreiben Sie für jede Kategorie ein passendes (*appropriate*) – und interessantes! Wort auf. Auf der nächsten Seite finden Sie dann einen Brief mit Lücken (*spaces*) für die Wörter, die Sie vorgeschlagen (*suggested*) haben.

Am besten machen Sie es so: Schreiben Sie die Wörter auf diese Seite, während eine Partnerin/ein Partner das gleiche macht. Dann lesen Sie ihr/ihm Ihre Wörter vor und sie/er schreibt sie in die Lücken auf der nächsten Seite. Wenn Sie beide fertig sind, lesen Sie sich die Briefe vor.

1. ein geographischer Ort: _____

2. ein Adjektiv: _____

3. ein Adjektiv: _____

4. ein Substantiv: das _____

5. ein Adjektiv: _____

6. etwas zum Essen: _____

7. etwas zum Essen (Plural): _____

8. etwas zum Trinken: _____

9. Mann / Nationalität (z.B.: **Engländer**): _____

10. Frau / Nationalität: _____

11. ein Substantiv: das _____

12. ein Adjektiv: _____

13. ein Substantiv: der _____

14. ein Adjektiv: _____

15. Frau / Nationalität: _____

16. Substantiv (Plural): _____

17. ein Adjektiv: _____

18. ein Substantiv: der _____

19. Substantiv (Plural): _____

20. Substantiv (Plural): _____

Copyright © Houghton Mifflin Company. All rights reserved.

EIN BRIEF AUS DEM URLAUB

Liebe Familie!

Wie ich mich auf diesen Urlaub (*vacation*) gefreut habe! Ich bin gestern Abend hier in

(1) _____ angekommen und wollte euch gleich schreiben. Das Hotel ist

(2) _____: in jedem Zimmer gibt es ein (3) _____

es (4) _____. Heute Morgen habe ich in einem (5) _____ en

Restaurant gefrühstückt: (6) _____ mit (7) _____ und dazu habe ich

(8) _____ getrunken. Neben mir saß ein (9) _____ mit seiner Frau,

einer (10) _____. Komisch – die zwei haben ein (11) _____ zum

Frühstück mitgebracht und es war so (12) _____ wie ein (13) _____!

Vor dem Mittagessen ging ich mit einer sehr (14) _____ en (15) _____

spazieren. Sie interessiert sich für (16) _____ und ich habe nur gesagt, dass ich

das wirklich (17) _____ finde. Dann sagte sie sehr laut: „Sie sind ein

(18) _____!" Aber naja, im Urlaub darf man alles sagen, oder?

 Heute Abend möchte ich tanzen. Den Tanzsaal hat man für den Abend mit (19) _____

dekoriert! Da muss ich unbedingt hin! Außerdem habe ich dem (9) _____ und der

(10) _____ versprochen, ich würde ihnen meine (20) _____ zeigen.

 Naja, hoffentlich geht's euch auch so (2) _____ wie mir. In nur ein paar Tagen bin ich

wieder zu Hause! Bis dann!

 Copyright © Houghton Mifflin Company. All rights reserved.

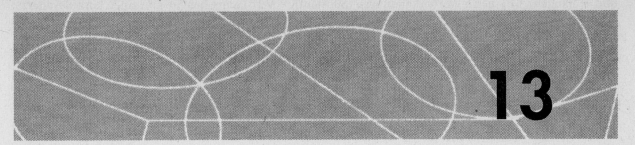

Mensch, das war _____!

Wie Sie im *Handbuch* gelesen haben, geben Adjektive einem Text Farbe und Intensität. Darum sind sie besonders wichtig, wenn Sie über etwas sehr Positives oder Negatives schreiben wollen. Wählen Sie nun eine Situation, die Sie persönlich erlebt (*experienced*) haben – sehr gut oder sehr schlecht – und über die Sie einen kurzen Aufsatz schreiben können.

Ideen

Urlaub	Konzert
Test	Zimmer
Party	Wochenende
Film	Reise
Abenteuer (*adventure*)	Geburtstagsfeier
Abend mit einer Freundin/einem Freund	Besuch in einer Stadt

Schritt 1: Welche Substantive sind besonders wichtig, wenn Sie jemandem von dieser Situation erzählen wollen? Schreiben Sie eine Liste mit mindestens zehn Substantiven und benutzen Sie die richtigen Artikel (**der/die/das**).

_____

_____

_____

_____

_____

_____

_____

_____

_____

_____

Schritt 2: Für jedes Substantiv finden Sie ein Verb, das damit verbunden ist (z.B.: **Musik → hören;** **Bild → hängen**). Mit diesen Wortverbindungen (Substantiv + Verb) schreiben Sie nun einen kurzen Aufsatz zu Ihrem Thema – aber zuerst *ohne* Adjektive.

_____

_____

_____

_____

_____

_____

_____

_____

Schritt 3: Lesen Sie Ihren Aufsatz genau durch; korrigieren Sie alle Artikel, damit der Kasus (*case*) bei jedem Substantiv stimmt. Dann lesen Sie den Aufsatz nochmals durch und überlegen Sie sich, welche Adjektive zu jedem Substantiv passen (z.B.: **Musik → laut, aggressiv; Bild → bunt, abstrakt**). Schreiben Sie diese Adjektive über den Text in Schritt 2 (ohne Endung). Dann schreiben Sie den Aufsatz noch einmal, indem Sie die besten Adjektive verwenden – mit den richtigen Endungen.

Titel: _____

_____

_____

_____

_____

_____

_____

_____

_____

_____

_____

_____

_____

_____

_____

   Copyright © Houghton Mifflin Company. All rights reserved.

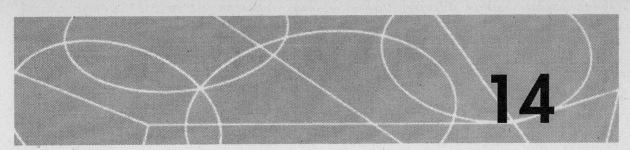

Vergleiche

A. Wählen Sie von den folgenden Kategorien eine aus, die Sie interessant finden und von der Sie drei Beispiele miteinander vergleichen können. Markieren Sie die Kategorie, über die Sie schreiben möchten.

_____ Filme	_____ Professoren/Professorinnen	_____ Kurse	_____ Bücher
_____ Städte	_____ Freunde	_____ Musikgruppen	_____ Berufe
_____ Verwandte	_____ Politiker	_____ Autos	_____ Länder

Schritt 1: Schreiben Sie unter **A** eine Liste von Adjektiven, die Sie in Ihrem Vergleich verwenden können. Dann schreiben Sie unter **B** und **C** die entsprechenden Komparativ- und Superlativformen.

A	B	C
_____	_____	_____
_____	_____	_____
_____	_____	_____
_____	_____	_____
_____	_____	_____
_____	_____	_____

Schritt 2: Schreiben Sie jetzt Ihre Vergleiche in einem Aufsatz. Versuchen Sie dabei, Vergleiche mit dem Komparativ (**so ... wie**; _____-**er als**) und auch mit dem Superlativ zu bilden. Bei einigen Sätzen sollten die Adjektive attributiv sein, das heißt, sie sollten *vor* dem Substantiv stehen.

_____

_____

_____

_____

_____

_____

_____

Copyright © Houghton Mifflin Company. All rights reserved.

B. Eine Freundin/ein Freund von Ihnen, die/der natürlich auch sehr gut Deutsch spricht, studiert an einer anderen Universität. Sie finden, dass es viel besser wäre, wenn sie/er an Ihrer Uni studieren würde. Schreiben Sie eine E-Mail und versuchen Sie sie/ihn zu überzeugen (*convince*), das Ihre Uni wirklich besser ist. Machen Sie möglichst viele Vergleiche zwischen den beiden Unis und verwenden Sie dabei so viele Komparativ- und Superlativformen wie möglich.

Schritt 1: Welche Aspekte Ihrer Uni wollen Sie erwähnen? Schreiben Sie ein paar Ideen auf und einige Adjektive, die gut dazu passen.

Ideen	Adjektive
_____	_____
_____	_____
_____	_____
_____	_____
_____	_____

Schritt 2: Und jetzt die E-Mail:

Hallo _____!

Ich weiß, du bist jetzt an der _____ -Uni, aber _____

_____

_____

_____

_____

_____

_____

_____

_____

_____

Viele Grüße

   Copyright © Houghton Mifflin Company. All rights reserved.

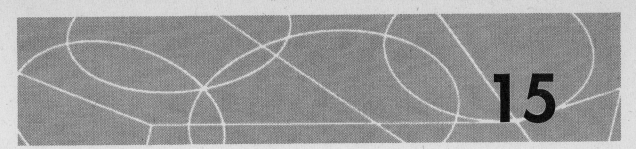

Ein Interview

Stellen Sie sich vor (*imagine*), Sie sind Journalistin/Journalist für eine Schul- oder Uni-Zeitung und wollen eine Reportage über Ihre Deutschprofessorin/Ihren Deutschprofessor schreiben, um dem ganzen Campus diesen genialen Menschen vorzustellen. Was für Fragen würden Sie ihr/ihm stellen? Welche Information wäre für Ihre Leserschaft (*readership*) von Interesse? Lesen Sie die Anfänge der Fragen unten und ergänzen Sie sie mit passenden Vokabeln. Dann schreiben Sie einige Fragen selbst. Vielleicht lässt sich die Professorin/der Professor von jemand in Ihrer Gruppe tatsächlich (*actually*) interviewen!

1. Woher _____?

2. Seit wann _____?

3. Warum haben Sie _____?

4. Was halten Sie von _____?

5. Mit wem _____?

6. Wann haben Sie zum ersten Mal in Ihrem Leben _____

   _____?

7. Worüber _____?

8. Wie oft in Ihrem Leben haben Sie _____?

9. Wohin _____?

10. Wen würden Sie gern _____?

11. _____?

12. _____?

13. _____?

14. _____?

15. _____?

Copyright © Houghton Mifflin Company. All rights reserved.   Aufgaben zur schriftlichen Kommunikation ▪ 15   **33**

Fragen, Fragen

Stellen Sie sich vor, Sie müssen in fünf Minuten einen Test über den folgenden Text schreiben. Sie müssen alle Details kennen, die für diesen Text wichtig sind. Aber leider ist nicht alles so gut zu verstehen; manches ist unklar, weil der Kontext fehlt (*is missing*) und auch, weil viele Pronomen benutzt werden. Welche Fragen stellen Sie, damit Sie die genauen Informationen dafür bekommen können?

BEISPIEL Sie lesen: „Dann hat Franz mit ihr darüber gesprochen.“
Sie wollen
also wissen: *Mit wem* hat Franz gesprochen? *Worüber* haben die beiden gesprochen?

Lesen Sie den ganzen Text langsam durch.

Franz saß noch darin und während er auf ihn wartete, las er es noch einmal – aber er konnte es nicht glauben. Wie konnte sie ihm so was sagen? Er dachte lange darüber nach und wusste nicht, was er machen sollte. Auf einmal wurde ihm klar: er muss dorthin fahren, und zwar so schnell wie möglich. Aber würde sie noch auf die anderen warten? Würde sie es ihm noch einmal sagen? Er dachte wieder an ihre Worte, kurz bevor es passiert war: „Wenn du das machst, sehen wir uns nie wieder!“

Schreiben Sie jetzt mindestens acht Fragen, um herauszufinden, *was* oder *wer* gemeint ist. Beginnen Sie einige Fragen mit Präpositionen oder mit **wo-** (wie im Beispiel).

1. _____

2. _____

3. _____

4. _____

5. _____

6. _____

7. _____

8. _____

_____

_____

_____

  Copyright © Houghton Mifflin Company. All rights reserved.

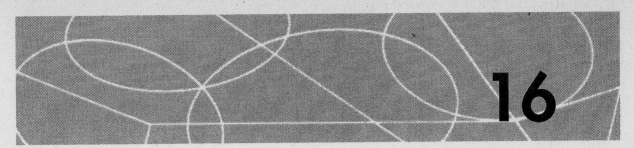

Drei kleine Aufgaben

A. Wie Sie im *Handbuch* gelesen haben, gibt es für alle Substantive Pronomen im entsprechenden Geschlecht (*corresponding gender*), z.B.: **er** für **Tisch, sie** für **Lampe** usw. Schreiben Sie hier einen kurzen Abschnitt, in dem Sie einen Gegenstand (*object*) beschreiben; aber sagen Sie erst am Ende, was der Gegenstand ist. Das heißt, erst am Ende schreiben Sie das Substantiv; sonst verwenden Sie nur Pronomen dafür. Lesen Sie dann einer Partnerin/einem Partner die Beschreibung vor, damit sie/er raten kann, was der Gegenstand ist.

BEISPIEL   Er liegt im Moment auf meinem Schreibtisch. Er hat nicht viel gekostet, aber ich brauche ihn oft. Er ist lang und gelb, und wenn ich ihn nicht finde, kann ich nicht schreiben. Manchmal ist er spitz, aber manchmal auch nicht.

Er = mein Bleistift.

_____

_____

_____

_____

_____

_____

_____

Copyright © Houghton Mifflin Company. All rights reserved.

B. Man kann **man** als Pronomen verwenden, wie dieser Satz zeigt. Wenn man länger schreibt, muss man aufpassen, dass man nicht **er** oder **du** dafür schreibt. Wie viele Aussagen können Sie zu dem Thema unten bilden, mit Beispielen für **man** im Nominativ oder mit Beispielen für die richtigen **ein**-Formen im Dativ und Akkusativ?

Thema: Wie wird man erfolgreich (*successful*) auf diesem Campus?

> **BEISPIEL**   Man muss jeden Tag ...
>
> Wenn Professoren einem zu viel Arbeit geben, dann ...
>
> Man darf nicht ...

_____

_____

_____

_____

_____

_____

_____

_____

C. **Dasselbe oder das gleiche?** Vielleicht haben Sie eine Zimmerkollegin/einen Zimmerkollegen oder vielleicht eine Schwester/einen Bruder und Sie haben viel gemeinsam (*in common*) mit diesem Menschen. Schreiben Sie ein paar Aussagen darüber – Kleidung, Interessen, Hobbys, Kurse, Freunde, Eltern, Probleme usw. – und verwenden Sie dabei die richtigen Formen von **dasselb-** oder **das gleich-**.

1. _____

_____

2. _____

_____

3. _____

_____

4. _____

_____

5. _____

_____

   Copyright © Houghton Mifflin Company. All rights reserved.

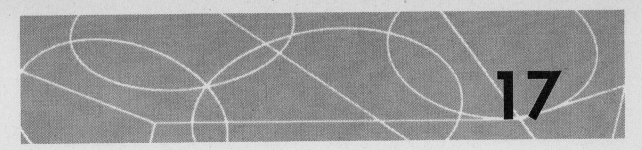

Ich habe mich entschieden ...

Haben Sie je einen Brief oder eine E-Mail bekommen, in der jemand Ihnen eine überraschende (*surprising*) Entscheidung mitgeteilt hat? Schreiben Sie jetzt selbst so eine Mitteilung. Zum Beispiel schreiben Sie Ihren Eltern, dass Sie alles aufgeben wollen, um beim Zirkus als Clown zu arbeiten; oder schreiben Sie einem Freund, dass Sie morgen losziehen, weil Sie die Welt umsegeln (*sail*) wollen ...

Schritt 1: Schreiben Sie ein paar Ideen für Ihre überraschende Entscheidung und an wen Sie darüber schreiben wollen.

Ideen: _____

_____

_____

An wen schreiben Sie? _____

Schritt 2: Welche Reflexivverben aus Kapitel 17, wie zum Beispiel **sich entscheiden,** können Sie in Ihrem Brief verwenden? Wählen Sie aus der folgenden Liste mindestens fünf passende Verben aus.

____ sich amüsieren	____ sich ausruhen	____ sich beeilen
____ sich etwas leisten	____ sich entschuldigen	____ sich erholen
____ sich [wohl] fühlen	____ sich langweilen	____ sich umsehen
____ sich anziehen	____ sich etwas aussuchen	____ sich etwas kaufen
____ sich etwas wünschen	____ sich etwas überlegen	____ sich benehmen
____ sich etwas ansehen	____ sich entscheiden	____ sich erkälten

Notieren Sie jetzt fünf weitere Reflexivverben mit Präpositionen aus Kapitel 17, wie zum Beispiel **sich interessieren + für.**

1. _____

2. _____

3. _____

4. _____

5. _____

Copyright © Houghton Mifflin Company. All rights reserved. Aufgaben zur schriftlichen Kommunikation ▪ 17   **37**

Schritt 3: Schreiben Sie ein paar einzelne (*single*) Sätze mit den Verben, die Sie ausgewählt haben.

1. _____

2. _____

3. _____

4. _____

5. _____

Schritt 4: Schreiben Sie jetzt die ganze Mitteilung und verwenden Sie diese Reflexivverben. Versuchen Sie die Verben miteinander zu kombinieren.

Liebe(r) _____!

Ich komme am besten gleich zur Sache. Ich habe mich nämlich entschieden, _____

_____

_____

_____

_____

_____

_____

_____

_____

_____

_____

Viele Grüße

 Copyright © Houghton Mifflin Company. All rights reserved.

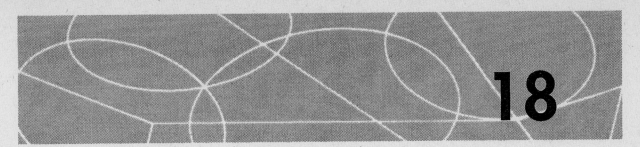

Die Entschuldigung

Lesen Sie zuerst das ganze Gespräch und ergänzen Sie dann (*complete*) die Sätze.

MINNA: Grüß dich, Dirk!

DIRK: Guten Morgen, Minna! Ich dachte, du wolltest gestern Abend mit auf die Party!

MINNA: Tja, das wollte ich schon, aber ich hatte Bernd versprochen, _____
_____.

DIRK: Ach so! Nun, das ist schon wichtig.

MINNA: Ja, und danach fing ich an, _____
_____.

DIRK: Und was machte Bernd, als alles fertig war?

MINNA: Er ging nach Hause, glaube ich.

DIRK: Oh nein, das habe ich kommen sehen ...

MINNA: Wieso denn? Was meinst du damit?

DIRK: Tja, Bernd war dann nämlich auch noch auf der Party, und zwar ...

MINNA: Meinst du, er machte das anstatt _____ zu _____?

DIRK: Genau, ich habe ihn dort _____ sehen.

MINNA: Sag' bloß! Mir hat er gesagt, er wollte _____.

DIRK: Später habe ich ihn _____ hören, aber ich wollte doch nicht _____
_____.

MINNA: Aber meinst du, dass er _____?

DIRK: Naja, vielleicht hat er gedacht, dass _____.

MINNA: Das sagst du nur, weil _____.

DIRK: Vielleicht machte er das, um _____ zu _____.

MINNA: Das geht doch nicht!! Er sagt immer, er will nicht, dass ich _____
_____.

DIRK: Tja, ich weiß nur, dass _____.

MINNA: Also, eins weiß ich jetzt: ich lasse ihn nie wieder _____
_____!

Copyright © Houghton Mifflin Company. All rights reserved.

Es macht (keinen) Spaß zu ...

Schreiben Sie einen freien Aufsatz zu dem (fast) freien Titel, den Sie hier sehen. In dem Aufsatz sollen Sie Beispiele von **um ... zu, anstatt ... zu** und **ohne ... zu** Konstruktionen geben. Ergänzen Sie den Titel, überlegen Sie sich ein paar Minuten, was Sie darüber sagen wollen, und fangen Sie dann an zu schreiben.

Es macht (keinen) Spaß, _____ **zu** _____

_____

_____

_____

_____

_____

_____

_____

_____

_____

_____

_____

_____

_____

_____

_____

_____

_____

  Copyright © Houghton Mifflin Company. All rights reserved.

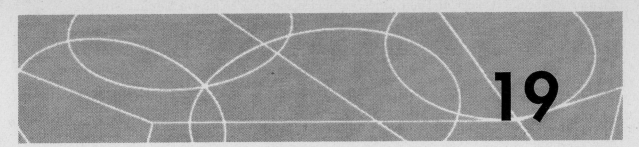

Was ich dazu meine ...

Auf jedem Campus gibt es kontroverse Themen, zu denen es viele Meinungen gibt, z.B. die Rolle von Studentenverbindungen (*fraternities*), Sport, Pflichtkurse (*required courses*), Probleme mit Alkohol, die Rollen von Frauen in der Uni-Verwaltung (*administration*) usw. Wählen Sie ein Thema, zu dem Sie Ihre Meinung sagen wollen.

Ihr Thema: _____

Schritt 1: Welche Vokabeln fallen Ihnen zu diesem Thema ein (*occur to you*)? Schreiben Sie ein paar Stichworte dazu auf.

_____   _____

_____   _____

_____   _____

_____   _____

Schritt 2: Wählen Sie die fünf interessantesten Stichworte aus dieser Liste und versuchen Sie, noch mehr Vokabeln dazu zu finden. Schreiben Sie die fünf Stichworte auf und daneben die neuen Vokabeln, die etwas damit zu tun haben.

_____: _____

_____: _____

_____: _____

_____: _____

_____: _____

Copyright © Houghton Mifflin Company. All rights reserved.

Schritt 3: Diese Vokabelgruppen bilden den Kern (*core*) Ihres Aufsatzes. Aus jeder Gruppe können Sie ein paar Vokabeln verwenden und miteinander verbinden. Entscheiden Sie, wie Sie diese Gruppen organisieren wollen und welche Redemittel aus dem Teil **Schriftliches Thema** im *Handbuch* Sie dabei verwenden können.

_____

_____

_____

_____

_____

_____

_____

_____

_____

_____

_____

_____

_____

_____

_____

_____

_____

_____

_____

   Copyright © Houghton Mifflin Company. All rights reserved.

NAME _____ DATUM _____

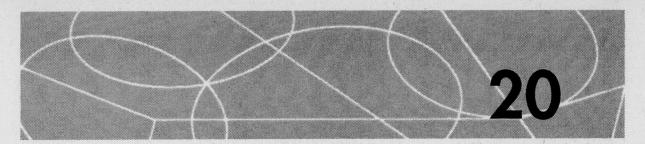

Änderungen

Was würden Sie machen, wenn Sie einiges an Ihrer Schule oder Uni ändern (*change*) könnten?

Schritt 1: Schreiben Sie unter **A** eine kurze Liste mit Vorschlägen.

A	**B**
_____	_____
_____	_____
_____	_____
_____	_____

Schritt 2: Welche Verben, Substantive oder Adjektive könnte man mit diesen Stichworten verbinden? Schreiben Sie unter **B** zwei oder drei solche Wörter für jedes Stichwort unter **A.**

Schritt 3: Nehmen Sie nun diese Wortgruppen und schreiben Sie einen kurzen Abschnitt. Beginnen Sie mit einer hypothetischen Bedingung (*condition*) (z.B.: **„Wenn ich hier etwas ändern könnte, dann ... "**) und machen Sie weiter mit einigen Sätzen im Konjunktiv. Nützliche Vokabeln dazu finden Sie in der **Anwendung** im *Handbuch*.

_____

_____

_____

_____

_____

_____

_____

_____

_____

_____

Copyright © Houghton Mifflin Company. All rights reserved.

Das hätte ich nicht getan ...

Wie Sie im Kalender lesen können, hat Rudi ein paar sehr interessante Tage hinter sich.

	Mittwoch	Donnerstag	Freitag
Vormittag	6 Uhr - aufstehen! - joggen 10 Uhr - Mathe-Vorlesung	Bibliothek - Chemie lesen! 11 Uhr-Chemie-Vorlesung	9 Uhr. Chemie-Prüfung
Nachmittag	18 Uhr - schwimmen	Mittagessen bei Martin (Pizza + Bier)	Mittagessen - Karin Einkaufen - Annette
Abend	19.15 Tennis → Udo 20 Uhr Konzert - mit Karen	Party !! bei Rolf	Abendessen - Angela Kino: Annette

Vielleicht denken Sie ja, es war nicht besonders klug oder ratsam (*advisable*), was er alles gemacht hat. Schreiben Sie mindestens drei Sätze darüber, was Sie an seiner Stelle (*in his place*) gemacht oder nicht gemacht hätten. Schreiben Sie auch mindestens drei Sätze darüber, was er hätte machen oder nicht hätte machen sollen.

_____

_____

_____

_____

_____

_____

_____

_____

_____

_____

_____

    Copyright © Houghton Mifflin Company. All rights reserved.

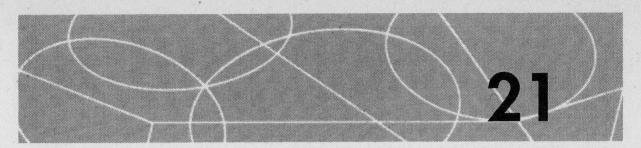

Eine in kurzer Zeit fertigzuschreibende Aufgabe!

Diese Geschichte handelt von einer Frau und einem Mann, die über ein Problem sprechen, das *Sie* erfinden werden.

Wählen Sie zwei fiktive Personen aus der Liste, dann ergänzen Sie (*complete*) die Geschichte.

Personen:
eine Arme/ein Armer   **eine Angestellte/ein Angestellter**
eine Reiche/ein Reicher   **eine Vorgesetzte/ein Vorgesetzter**
eine Verlobte/ein Verlobter   **eine Tote/ein Toter**
eine Reisende/ein Reisender   **eine Blinde/ein Blinder**

Zwei Leute kommen ins Restaurant, eine _____ und ein _____.

Sie setzen sich und bestellen sich etwas zu trinken: _____ für die _____

und _____ für den _____. Dann fängt die _____

an, mit dem _____ zu sprechen. „Ich verstehe gar nicht, warum du immer

_____ willst", sagt sie, „Ich?!" fragt der _____; „Du sagst immer, du

willst _____." „Ja, ja", sagt sie, und dabei sieht sie dem _____ direkt ins

Auge; „aber gestern hast du mir erzählt, du wolltest _____, und dann hast du

_____. Das verstehe ich nicht." Das ist dem _____ zu viel. „Quatsch!!"

sagt er; „ich war den ganzen Tag _____. *Du* wolltest _____, aber ich

wusste, dass ich _____ sollte." Die Augen der _____ werden groß. „Das

ist mir ganz neu!" sagt sie. „Aber wenn du meinst, dass wir _____ sollten, dann finde ich,

dass wir _____ können." Dann hat der _____ eine neue Idee: „Warum

versuchen wir nicht, _____? Die Antwort der _____ ist kurz und klar:

„Nur wenn du mir versprichst, _____!"

Copyright © Houghton Mifflin Company. All rights reserved.

Amtsdeutsch

Gestern waren Sie in der Vorlesung von Professor Nickerchen und am Ende hat er einige Ansagen (*announcements*) gemacht. Ein Freund von Ihnen war nicht dabei. Lesen Sie, was der Professor sagte, und übersetzen Sie dann für Ihren Freund dieses Amtsdeutsch in eine normal gesprochene Sprache.

Die Mitteilung (*announcement*)

Die letzten Freitag fälligen Aufsätze sind ab Mittwoch bei meiner Sekretärin abzuholen. Die am vorigen Dienstag angekündigte (*announced*) Vorlesung zum Thema „Kant und die Metaphysiker" fällt wegen der geplanten Sitzung (*meeting*) der Studentenschaft aus. Alle am Anfang des Semesters noch nicht immatrikulierten (*enrolled*) Studenten werden gebeten (*are asked*), ins Sekretariat zu kommen, um dort die von der Buchhandlung bestellten Lehrtexte abzuholen. Und zum Schluss: die in der ersten Reihe schlafenden Studenten werden gebeten (*are asked*) aufzuwachen, damit sie ihre nächste Vorlesung nicht verpassen.

So würden Sie das Ihrem Freund erzählen:

_____

_____

_____

_____

_____

_____

_____

_____

_____

_____

_____

   Copyright © Houghton Mifflin Company. All rights reserved.

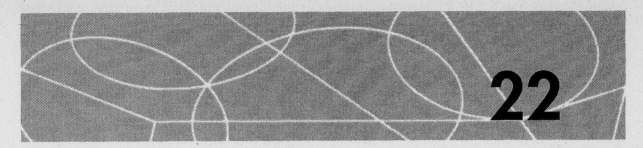

Eins, zwei, drei ...

A. Wie oft? Wenn man auf diese Frage eine bestimmte Zahl als Antwort geben will, braucht man die Struktur **-mal.** Schreiben Sie hier mindestens fünf Aussagen, in denen Sie erzählen, wie oft Sie Folgendes gemacht haben.

Ideen

einen Test schreiben   nach Hause telefonieren
fliegen   im Restaurant essen
eine Fernsehsendung sehen   joggen gehen
eine E-Mail schreiben   ins Konzert gehen

BEISPIEL   *Diese Woche bin ich zweimal schwimmen gegangen.*

1. Diese Woche _____

2. Letzte Woche _____

3. Heute _____

4. Dieses Semester _____

5. Letztes Jahr _____

6. _____

7. _____

B. Die Ordnungszahlen kann man gut gebrauchen, wenn man etwas begründen will, z.B.: **erstens** denke ich, dass ...; **zweitens** kann ich nicht ...; **drittens** muss ich ... usw. Schreiben Sie zuerst eine Meinung oder eine Handlung (*action*) und geben Sie dann mindestens drei Gründe dafür an.

_____

_____

_____

_____

_____

_____

Copyright © Houghton Mifflin Company. All rights reserved.

C. Unten finden Sie Ihre Einkaufsliste, aber leider haben Sie keine Zeit, selbst einkaufen zu gehen. Sie rufen einen Freund an, der das für Sie macht. Schreiben Sie nun alles auf, was Sie ihm am Telefon sagen, damit er genau weiß, was und wie viel Sie brauchen.

BEISPIELE Auf der Liste steht: **400 g Rindfleisch.** Sie schreiben: **vierhundert Gramm Rindfleisch.**
Auf der Liste steht: **3,5 kg Kartoffeln.** Sie schreiben: **dreieinhalb Kilo(gramm) Kartoffeln.**

Einkaufsliste

3 l Milch	½ kg Erbsen (*frisch*)
850 g Schweinefleisch	1 Torte
½ Huhn	2 Flaschen Rotwein
6 Flaschen Mineralwasser	4,5 kg Reis
1,5 kg Butter	

Sie schreiben also:

_____   _____

_____   _____

_____   _____

_____   _____

_____

Schreiben Sie jetzt auf, was Sie am Telefon sagen. Wiederholen Sie nicht nur die Liste, sondern schreiben Sie ganze Sätze damit.

Hallo Michael! Ich find' es toll, dass du für mich einkaufen gehst. Also, ich brauche _____

_____

_____

_____

_____

_____

_____

_____

_____

_____

_____

_____

   Copyright © Houghton Mifflin Company. All rights reserved.

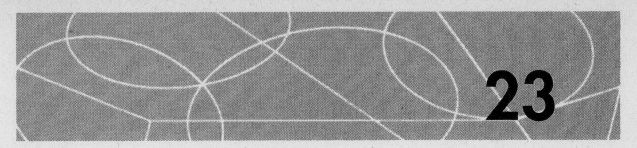

Liebes Tagebuch, ...

Vielleicht schreiben Sie schon ein Tagebuch (*diary*) auf Englisch; schreiben Sie jetzt einen Eintrag (*entry*) auf Deutsch, und zwar für die ganze Woche. Verwenden Sie dabei so viele Zeitadverbien, wie Sie können.

Schritt 1: Lesen Sie die Vokabelvorschläge unten und schreiben Sie neben jedes Stichwort ein paar passende Ideen.

BEISPIEL   am Montag: *spät aufstehen / müde / viele Vorlesungen*

am Montag: _____

am Dienstag: _____

am _____: _____

stundenlang: _____

tagelang: _____

den ganzen Tag: _____

vor zwei Tagen: _____

die ganze Woche: _____

tagsüber: _____

vorgestern: _____

nachmittags: _____

Schritt 2: Entscheiden Sie, wie Sie Ihren Tagebucheintrag organisieren wollen – chronologisch oder danach, was Sie z. B. morgens und abends gemacht haben, oder nach anderen Themen, wie z. B. **Freizeit, Arbeit, Tests** usw. Hier wird es einfach, Ihre Satzanfänge zu variieren, denn sehr oft stehen solche Zeitadverbien am Anfang des Satzes.

Datum: _____

Eintrag: _____

_____

_____

_____

_____

Copyright © Houghton Mifflin Company. All rights reserved.

_____

_____

_____

_____

_____

Familienchronik

Welche Jahre und Daten sind für Ihre Familie besonders wichtig? Schreiben Sie einen kurzen Abschnitt darüber und erwähnen Sie (*mention*) dabei z.B. Geburtstage, Hochzeitstage, besondere Feiertage, vielleicht die Jahre, als Ihre Vorfahren hierher gekommen sind. Wiederholen Sie die Zeitausdrücke in Abschnitt 23.1 im *Handbuch*.

Familienchronik

_____

_____

_____

_____

_____

_____

_____

_____

_____

_____

_____

_____

_____

   Copyright © Houghton Mifflin Company. All rights reserved.

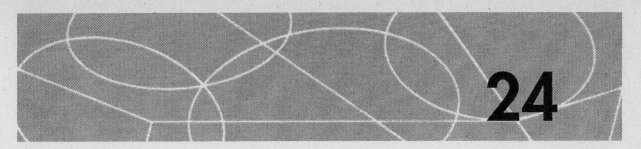

Es war ein merkwürdiges Erlebnis ...

Hier haben Sie Gelegenheit, einen etwas längeren Abschnitt über etwas Besonderes zu schreiben – über ein merkwürdiges (*strange, unusual*) Erlebnis (*experience*) in Ihrem Leben oder im Leben einer Freundin/eines Freundes.

Schritt 1: Denken Sie darüber nach, von welchem Erlebnis Sie erzählen wollen. Notieren Sie einige Details – wo, mit wem, wie lange und ein bisschen über den Hintergrund.

_____

_____

_____

_____

_____

_____

_____

_____

_____

Schritt 2: Im **Wortschatz** von Kapitel 24 finden Sie nützliche Ausdrücke für die chronologische Sequenz einer Erzählung. Lesen Sie Ihre Stichworte oben durch und schreiben Sie hier einige Zeitadverbien aus dem **Wortschatz** oder auch andere Adverbien aus dem Kapitel auf, die erklären, *wie* und *wann* alles passiert ist.

_____

_____

_____

_____

_____

_____

Copyright © Houghton Mifflin Company. All rights reserved.

Schritt 3: Ordnen Sie Ihre Aussagen mit den Adverbien, die Sie unter Schritt 2 geschrieben haben, und schreiben Sie nun Ihre Erzählung. Verbinden Sie die Aussagen, wenn möglich, mit Konjunktionen.

Titel: _____

_____

_____

_____

_____

_____

_____

_____

_____

_____

_____

_____

_____

_____

_____

_____

_____

_____

Copyright © Houghton Mifflin Company. All rights reserved.

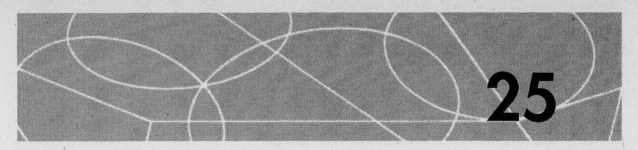

Aber das will ich doch!

Wörter wie **doch, eben, also** und **mal** zeigen im Dialog, was man von den Gesprächsinhalten hält und wie man sich dabei fühlt; sie zeigen also die Gefühle der Sprecher.

Schreiben Sie hier ein Gespräch, in dem ein Teenager (*Mädchen* oder *Junge*) mit den Eltern (*Mutter* oder *Vater*) spricht und bei dem die Gefühle der Sprechenden sich klar zeigen: der Teenager will im Sommer mit Freunden durch Europa reisen; die Eltern wollen aber, dass sie/er zu Hause bleibt und einen Ferienjob findet, um Geld zu verdienen.

Schritt 1: Beginnen Sie mit Ideen für beide Seiten – mit Argumenten für und gegen die Reise bzw. den Ferienjob. Benutzen Sie stichwortartige Sätze, z.B.: **nächsten Sommer arbeiten können/jetzt Geld brauchen.**

Mädchen/Junge	Mutter/Vater
_____	_____
_____	_____
_____	_____
_____	_____
_____	_____
_____	_____

Schritt 2: Wiederholen Sie die Partikeln in Kapitel 25 im *Handbuch* und schreiben Sie mindestens fünf davon über Ihre Ideen in Schritt 1.

                          doch
BEISPIEL   will ∧ nach England fahren

Copyright © Houghton Mifflin Company. All rights reserved.

Schritt 3: Wiederholen Sie jetzt den **Wortschatz** aus Kapitel 25 und wählen Sie einige von diesen Ausdrücken aus, die Sie in den Dialog einbauen können.

_____

_____

_____

_____

_____

_____

_____

Schritt 4: Benutzen Sie nun Ihre Ideen (*mit Partikeln*) und die Ausdrücke, die dazu passen, und schreiben Sie den ganzen Dialog.

_____:	_____
_____:	_____
_____:	_____
_____:	_____
_____:	_____
_____:	_____
_____:	_____
_____:	_____
_____:	_____
_____:	_____
_____:	_____

Lesen Sie jetzt Ihren Dialog mit einer Partnerin/einem Partner zusammen vor.

 Copyright © Houghton Mifflin Company. All rights reserved.

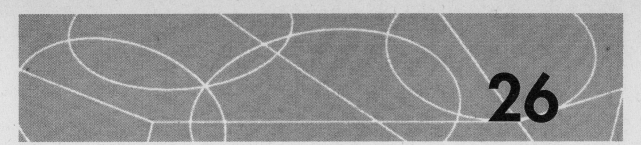

Das Quartett

Sie schreiben hier eine kleine Anekdote über vier Personen, die sich durch die Informationen in den Relativsätzen unterscheiden (*distinguish*).

Schritt 1: Sie brauchen dafür vier Personen, die besondere Eigenschaften (*characteristics*) haben. Unten finden Sie ein paar Vorschläge und Platz für Ihre eigenen Ideen. Nehmen Sie die Eigenschaften von Liste B und schreiben Sie damit Relativsätze für die vier Personen.

Liste A: Personen
eine Frau
ein Mann
eine Frau
ein Mann

Liste B: Eigenschaften
spricht sehr langsam
trägt zwei große Ohrringe
Leute haben Angst vor ihr
kann nicht gut sehen

_____

_____

_____

BEISPIEL   ein Mann, der in Marilyn Monroe verliebt ist

1. _____

2. _____

3. _____

4. _____

Schritt 2: Unten finden Sie einige Vokabeln und Ideen für die Handlung (*action, plot*). Bilden Sie mit diesen Elementen und/oder mit Ihren eigenen Ideen Relativsätze.

Verben

kaufen
sprechen + mit
reisen + mit
sich verlieben + in
töten
böse sein + auf

zerstören (*destroy*)
sich interessieren + für
vergessen
gehen
finden/verlieren
geben/nehmen

Copyright © Houghton Mifflin Company. All rights reserved.

Substantive	Ideen
das Gebäude (*building*)	geht zurück in die Geschichte
der Apparat (*device*)	macht einen verrückt
das Spiel	kostet 3 Millionen Euro
das Medikament	macht alle Leute nervös

1. _____

2. _____

3. _____

Schritt 3: Beginnen Sie mit den Elementen, die Sie oben ausgearbeitet haben, und machen Sie daraus eine Geschichte. Wichtig ist nur, dass Ihre Erzählung viele Relativsätze hat.

BEISPIEL   Es war einmal eine Frau, die sich für Flugzeuge interessierte. Sie war in einen Mann verliebt, der nicht gut sehen konnte, und deshalb ...

_____

_____

_____

_____

_____

_____

_____

_____

_____

_____

_____

_____

_____

_____

_____

_____

   Copyright © Houghton Mifflin Company. All rights reserved.

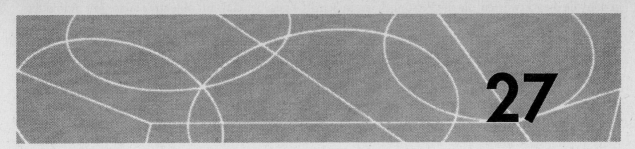

Dann sagte sie, dass ...

Für diese Aufgabe spielen Sie zwei Rollen: die einer berühmten Persönlichkeit Ihrer Wahl (*of your choice*) und die einer Journalistin/eines Journalisten.

Schritt 1: Zuerst sind Sie die berühmte Persönlichkeit. Sie sind bei einem Interview und jemand stellt Ihnen folgende Fragen. Geben Sie in Ihren Antworten so viele Details wie möglich und schreiben Sie in ganzen Sätzen.

FRAGE: Können Sie einige Angaben (*information*) zu Ihrer Person machen – wie Sie heißen, wo Sie wohnen, was Sie beruflich (*as a career*) machen usw.?

ANTWORT: _____

_____

FRAGE: Was war der wichtigste Moment in Ihrem Leben?

ANTWORT: _____

FRAGE: Was ist Ihr größter Wunsch für Ihre Zukunft?

ANTWORT: _____

_____

FRAGE: Was sehen Sie als das größte Problem unserer Zeit?

ANTWORT: _____

_____

FRAGE: Was schlagen Sie als Lösung (*solution*) vor (*suggest*)?

ANTWORT: _____

_____

Schritt 2: Wiederholen Sie die Verben im **Wortschatz** von Kapitel 27 und wählen Sie vier Synonyme für **sagen** aus, die Sie in Ihrem Bericht (*report*) verwenden könnten.

_____   _____

_____   _____

Copyright © Houghton Mifflin Company. All rights reserved.   Aufgaben zur schriftlichen Kommunikation ▧ 27   **57**

Schritt 3: Übernehmen Sie jetzt die Rolle der Journalistin/des Journalisten. Schreiben Sie einen Artikel, in dem Sie die Antworten, die die Persönlichkeit in Schritt 1 gegeben hat, auf objektive Weise mit indirekter Rede und Konjunktiv wiedergeben (*relate*).

_____

_____

_____

_____

_____

_____

_____

_____

_____

_____

_____

_____

_____

_____

_____

_____

 Copyright © Houghton Mifflin Company. All rights reserved.

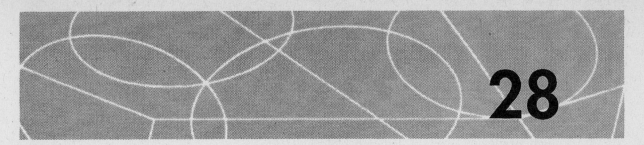

Was wird gerade gemacht?

Es ist Samstagabend und die Leute auf Ihrem Campus machen alles Mögliche (*all sorts of things*). Weil die Aktivitäten selbst wichtiger sind als die Personen, können sie gut im Passiv beschrieben werden.

Schritt 1: In der Liste unten finden Sie Ideen für die Aktivitäten. Wählen Sie einige aus und bilden Sie fünf Aussagen. Beginnen Sie jede Aussage mit: „**Einige Leute …**".

BEISPIEL   Tischtennis, spielen: *Einige Leute spielen Tischtennis.*

Ideen

spielen	lernen	**Bibliothek**	**Bier**	**Film**
lesen	sehen	**Restaurant**	**Cola**	**Tischtennis**
trinken	schreiben	**Auto**	**Kaffee**	**Basketball**
arbeiten	essen	**Freunde**	**Milch**	**Videospiele**

1. _____
2. _____
3. _____
4. _____
5. _____

Schritt 2: Lesen Sie Ihre Sätze durch und unterstreichen Sie (*underline*) jedes Substantiv, das als Direktobjekt dient. Diese Wörter werden dann die Subjekte, wenn Sie diese Aussagen im Passiv schreiben. Sätze, die kein Direktobjekt haben, können vielleicht mit **es** begonnen werden (siehe Abschnitt 28.1.B im *Handbuch*). Schreiben Sie nun Ihre Aussagen von Schritt 1 im Passiv.

BEISPIEL   Tischtennis *wird* in der Sporthalle *gespielt*. / In der Sporthalle *wird* Tischtennis *gespielt*.

1. _____
2. _____
3. _____
4. _____
5. _____

Copyright © Houghton Mifflin Company. All rights reserved.

Wie kann das verbessert werden?

Vielleicht ist Ihre Universität oder Schule schon perfekt – aber vielleicht auch nicht. Was könnte verändert oder verbessert werden?

Schritt 1: Wählen Sie einige Wörter aus der Liste unten aus und schreiben Sie sechs Ideen auf. Beginnen Sie jeden Vorschlag mit: „**Man sollte ...**" oder „**Man könnte ...**"

> **BEISPIEL** *Man sollte* eine neue Bibliothek bauen.

das Studentenzentrum	bauen/gebaut (*build*)
der Parkplatz, -plätze	abreißen/abgerissen (*tear down*)
das Studentenheim	renovieren/renoviert
die Bibliothek	restaurieren/restauriert
die Mensa (*cafeteria*)	aufmachen/aufgemacht (*open up*)
der Kurs/die Vorlesung	beginnen/begonnen
die Kunst/die Statue, -n	installieren/installiert
die Buchhandlung	schließen/geschlossen (*close*)
die Straße, -n	anbieten/angeboten (*offer*)

1. _____
2. _____
3. _____
4. _____
5. _____
6. _____

Schritt 2: Auch in diesen Sätzen werden die Aktivitäten betont (*emphasized*) und nicht das Subjekt; also braucht man auch hier das Passiv, aber diesmal mit Modalverben. Schreiben Sie nun Ihre Ideen im Passiv.

> **BEISPIEL** Eine neue Bibliothek *sollte gebaut werden.*

1. _____
2. _____
3. _____
4. _____
5. _____
6. _____

 Copyright © Houghton Mifflin Company. All rights reserved.

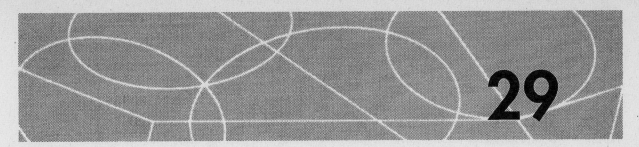

Schreiben und umschreiben

Wie Sie in diesem Kapitel im *Handbuch* gelesen haben, kann man mit Präfixen viel genauer und eleganter schreiben als nur mit dem Stammverb.

Schritt 1: In der Liste unten finden Sie Beispiele von Ausdrücken mit Verben. Wählen Sie fünf dieser Ausdrücke aus und schreiben Sie fünf Sätze.

gegen etwas kämpfen	etwas Falsches sagen	hell machen
antworten (*auf + acc.*)	falsch rechnen	möglich machen
anders machen	falsch verstehen	länger machen
richtig machen	größer machen	besser machen
in kleine Stücke brechen	schießen, sodass jemand stirbt	ruhig machen
	in die falsche Richtung fahren	

BEISPIEL   Ich habe zu schnell auf seine Frage geantwortet und dann *etwas Falsches gesagt.*

1. _____
2. _____
3. _____
4. _____
5. _____

Schritt 2: Finden Sie für jede Einheit, die Sie in Schritt 1. verwendet haben, ein Präfixverb mit ungefähr derselben Bedeutung und schreiben Sie Ihre Sätze noch einmal etwas eleganter mit den Präfixformen um. Alle diese Ausdrücke finden Sie in Kapitel 29 im *Handbuch*.

BEISPIEL   Leider habe ich seine Frage zu schnell beantwortet und *mich* dabei *versprochen.*

1. _____
2. _____
3. _____
4. _____
5. _____

Copyright © Houghton Mifflin Company. All rights reserved.

Verben bearbeiten

Nehmen Sie eine Wortgruppe aus dem **Wortschatz** in Kapitel 29, z.B.: **arbeiten/bearbeiten/erarbeiten/ verarbeiten**, und schreiben Sie eine kleine Erzählung oder ein Gespräch, in dem alle Formen des Verbes mit den Präfixen mindestens einmal vorkommen (*appear*).

BEISPIEL   arbeiten ...

HANS: Sag mal, Trudi, **arbeitest** du immer am Wochenende?

TRUDI: Nein, Hans, aber unser Projekt ist halt sehr wichtig und Montag muss alles fertig sein.

HANS: Um was geht es denn?

TRUDI: Wir wollen Holz ohne starke Chemikalien **verarbeiten** – wirklich etwas Neues.

HANS: Und du musst also alle Versuchsergebnisse (*experimental results*) bis Montag **bearbeitet** haben?

TRUDI: Richtig.

HANS: Ich hoffe, du kannst dir dadurch einen kleinen Bonus **erarbeiten!**

TRUDI: Ich hätte nichts dagegen. Dann würde ich dich zum Essen einladen!

Schritt 1: Schreiben Sie die Wortgruppe auf, die Sie aus dem **Wortschatz** ausgewählt haben, und daneben die englische Bedeutung für jedes Verb.

_____ : _____

_____ : _____

_____ : _____

_____ : _____

Schritt 2: Schreiben Sie nun Ihre Erzählung oder Ihren Dialog mit diesen Wörtern.

_____

_____

_____

_____

_____

_____

_____

_____

_____

_____

_____

   Copyright © Houghton Mifflin Company. All rights reserved.

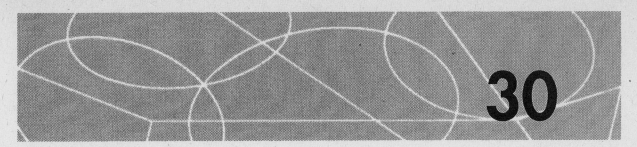

Verben mit Präpositionen

Eine Beschreibung oder Erzählung gewinnt an (*gains in*) Eleganz und Anschaulichkeit (*vividness*), wenn man passende (*appropriate*) Verben mit Präpositionen verwendet. Versuchen Sie das jetzt.

Schritt 1: Lesen Sie die Listen mit Beispielen in Kapitel 30. Wählen Sie zu einem der vorgeschlagenen Themen einige passende Verben aus und schreiben Sie gleich die richtigen Präpositionen dazu. Für jedes Thema finden Sie ein paar Verben als Beispiele: finden Sie noch einige dazu und schreiben Sie weiter.

1. Als ich noch ein kleines Kind war, ...

   sich interessieren + _*für*_ _____ + _____

   sich verlassen + _____ _____ + _____

   sich fürchten + _____ _____ + _____

   spielen + _____

2. Der letzte Aufsatz, den ich geschrieben habe, ...

   hinweisen + _____ _____ + _____

   sich beschränken + _____ _____ + _____

   folgern + _____ _____ + _____

   berichten + _____ _____ + _____

   sich befassen + _____ _____ + _____

   (etwas) meinen + _____

3. Eine peinliche Situation ...

   sich (nicht) erinnern + _____ _____ + _____

   sich irren + _____ _____ + _____

   sich täuschen + _____ _____ + _____

   reagieren + _____

   geraten + _____

   sich schämen + _____

Copyright © Houghton Mifflin Company. All rights reserved.

4. Um im Leben Erfolg zu haben (*be successful*), ...

achten + _____   _____ + _____

hören + _____   _____ + _____

denken + _____   _____ + _____

Respekt haben + _____

etwas wissen + _____

sich bemühen + _____

Schritt 2: Bilden Sie mit jeder Verb-Präposition-Verbindung, die Sie zu Ihrem Thema gefunden haben, einen Satz.

_____

_____

_____

_____

_____

_____

_____

_____

Schritt 3: Lesen Sie Ihre Sätze in Schritt 2 durch und benutzen Sie sie in einem kurzen Aufsatz. Verbinden Sie die kurzen Sätze, die gut zusammenpassen. Verwenden Sie passende Konjunktionen.

Titel: _____

_____

_____

_____

_____

_____

_____

_____

_____

_____

_____

_____

 Copyright © Houghton Mifflin Company. All rights reserved.

WORKBOOK

◻

Aufgaben
zur Struktur

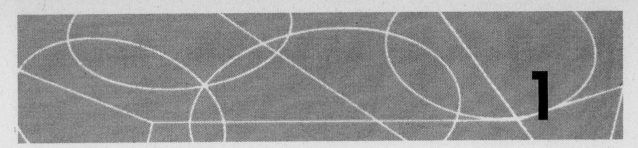

1

Word Order

A. Satzstellung. Schreiben Sie die Sätze um, indem Sie den Satz mit dem fett gedruckten (*bold*) Wort oder Ausdruck anfangen.

> **BEISPIEL**   Ich kaufe **morgen** ein (*shop*).   *Morgen kaufe ich ein.*

1. Der Film wird **um zehn Uhr** wiederholt.

   _____

2. Er hat uns nichts **mitgeteilt.**

   _____

3. Wir sind **die freundlichsten Kunden auf dieser Welt.**

   _____

4. Sie erzählte uns die Geschichte **bis ins kleinste Detail.**

   _____

5. Wir sind **bescheiden.**

   _____

6. Die Professorin hat uns **viel** erklärt.

   _____

7. Du kannst es für uns zusammenfassen, **wenn du das Buch gelesen hast.**

   _____

8. Meine Lieblingssprache ist **Deutsch.**

   _____

9. Wir können die Situation nicht **ändern.**

   _____

10. Um gute Noten zu bekommen, muss man **lernen** (*study*)!

   _____

B. **Wer schenkt was wem?** Schreiben Sie die Sätze um. Ersetzen (*Replace*) Sie die fett gedruckten Wörter mit einem Pronomen.

> BEISPIEL   Ich schenke meinem Bruder **das Buch** zum Geburtstag.
> *Ich schenke es meinem Bruder zum Geburtstag.*

1. Klaus schenkt **meinem Bruder** eine CD von den Prinzen.

   _____

2. Mein Bruder hat **Klaus die CD** in einem Geschäft gezeigt.

   _____

3. Klaus hat Inge **die CD** auch geschenkt.

   _____

4. Inge wollte ihrer Freundin **die CD** zum Geburtstag weiterschenken!

   _____

5. Klaus schenkt **Inge** eine CD und Inge schenkt **Klaus** einen CD-Spieler.

   _____

6. Klaus hat aber schon einen und wird **Inge** den CD-Spieler zurückgeben!

   _____

7. Mir wäre lieber, wenn **Inge** mir **den CD-Spieler** weiterschenken würde!

   _____

8. Zu meinem Geburtstag hat **Klaus** mir **die Prinzen-CD** geschenkt, aber ich habe keinen CD-Spieler!

   _____

C. **Fragen.** Schreiben Sie Fragen zu den Antworten.

> BEISPIELE   Ja, er kommt morgen Nachmittag mit.   *Kommt er morgen Nachmittag mit?*
> Die Vorlesung endet **um vierzehn Uhr**.   *Wann (Um wie viel Uhr) endet die Vorlesung?*

1. Wir gehen zu der Vorlesung, **weil** wir die Professorin mögen. (*fam.*)

   _____

2. Natürlich kannst **du** auch in die Vorlesung gehen.

   _____

3. Sie findet **im großen Hörsaal** (*lecture hall*) statt. (stattfinden = *to take place*)

   _____

4. **Ein Heft und einen Stift** sollte man mitnehmen.

   _____

5. **Nein,** man darf während der Vorlesung nicht essen!

   _____

    Copyright © Houghton Mifflin Company. All rights reserved.

6. Das Thema der Vorlesung ist **Licht- und Raumsymbolik in Goethes** „*Faust*".

_____

7. Nach der Vorlesung gehen wir **in die Stadt**.

_____

8. **Nein**, wir fahren nicht mit dem Bus.

_____

D. **Ein Tag am See.** Verbinden Sie die Sätze mit der angegebenen Konjunktion.

   BEISPIELE Viele Leute haben keine Zeit. Sie arbeiten zu viel.   (weil)
   Viele Leute haben keine Zeit, weil sie zu viel arbeiten.

   Man arbeitet zu viel. Man hat keine Freizeit.   (wenn)
   Wenn man zu viel arbeitet, hat man keine Freizeit.

1. Die Eltern nehmen mal einen Tag frei. Die Familie fährt zum See.   (wenn)

_____

2. Die Kinder gehen schwimmen. Sie haben keine Badehosen.   (obwohl)

_____

3. Man darf dort nicht schwimmen. Sie wissen nicht.   (dass)

_____

4. Ihre Eltern gehen spazieren. Sie achten nicht auf ihre Kinder.   (und)

_____

5. Sie machen sich aber keine Sorgen. Onkel Bernhard ist bei den Kindern.   (weil)

_____

6. Das Wetter ist so herrlich. Man möchte nicht an die Arbeit denken.   (wenn)

_____

7. Jetzt ist das Wetter schön. Nachher soll es regnen.   (aber)

_____

8. Man weiß ja nie. Die Wettervorhersage (*weather report*) ist richtig.   (ob)

_____

9. Die Kinder freuen sich. Die Eltern müssen heute nicht arbeiten.   (dass)

_____

Copyright © Houghton Mifflin Company. All rights reserved.

E. Genauer gesagt. Ergänzen Sie die Sätze mit den angegebenen Satzteilen.

BEISPIEL Seit 1678 gab es eine Börse.   (in Leipzig)
Seit 1678 gab es in Leipzig eine Börse.

1. Martin Luther predigte.   (in der Leipziger Thomaskirche / 1539)

_____

2. J.S. Bach wirkte.   (an der Thomaskirche / 1723–1750 / als Organist und Kantor)

_____

3. Ich habe die neue Prinzen-CD gesehen.   (in einem Geschäft / vorgestern)

_____

4. Ich werde sie kaufen.   (als Geschenk für Inge / in einem anderen Geschäft / morgen)

_____

5. Hast du die neueste Sendung von *Wetten, dass ...* gesehen?   (im Fernsehen / gestern Abend)

_____

   Copyright © Houghton Mifflin Company. All rights reserved.

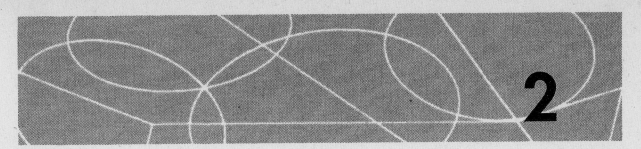

Present Tense

A. Konjugation. Schreiben Sie die richtige Form des Verbs mit dem gegebenen Subjekt.

1. hören: ich _____, er _____

2. kaufen: du _____, wir _____

3. informieren: sie (*sing.*) _____, Sie _____

4. lernen: ihr _____, sie (*pl.*) _____

5. studieren: ich _____, du _____

6. sagen: wir _____, er _____

B. Die richtige Verbform. Setzen Sie die richtige Form des Verbs ein.

1. Wie _____ du?   (heißen)

2. Was _____ der Pullover?   (kosten)

3. _____ ihr die Fenster, bitte?   (öffnen)

4. Warum _____ sie (*sing.*) den Plan schon wieder?   (ändern)

5. Er _____ mit seiner Freundin.   (tanzen)

6. Wir _____ vierzig Dollar.   (wechseln)

C. Die Verabredung (*date*). Wählen Sie das richtige Verb und vervollständigen (*complete*) Sie die Sätze.

1. Sandra _____ sich heute Abend mit Matthias.   (treffen, lesen)

2. Wollen wir wetten (*to bet*), dass er es _____?   (werfen, vergessen)

3. Sie _____ ihn jede Woche _____, aber er kommt nie!   (einladen, ausgeben)

4. Er _____ jetzt mit Christian.   (sehen, sprechen)

5. _____ du ihm diesen Zettel (*note*)?   (treten, geben)

Copyright © Houghton Mifflin Company. All rights reserved.   Aufgaben zur Struktur ■ 2   **71**

6. Er soll nicht wissen, wer ihm _____. (helfen, sterben)

7. Jetzt _____ er den Zettel. (geschehen, lesen)

8. _____ er den Zettel _____? (empfehlen, wegwerfen)

9. Es ist besser sie _____ ihn! (stehlen, vergessen)

D. Studentenmode. Setzen Sie die richtige Form des passenden Verbs von der Liste ein. Einige Verben kommen zweimal vor.

fahren	halten	schlafen	waschen
gefallen	laufen	tragen	

1. An dieser Uni _trägt_ jeder die neueste Mode.

2. Das _gefällt_ meiner Freundin nicht.

3. Sie _hält_ es für blöd (silly).

4. Man _läuft_ nur von einem Geschäft zum nächsten.

5. Meine Freundin _fährt_ einmal im Jahr nach Hause, um Klamotten (colloquial: clothes) zu kaufen.

6. Manchmal _trägt_ sie dasselbe Hemd, in dem sie _schläft_!

7. Sie _wäscht_ ihre Klamotten auch nur alle vier Wochen!

E. Mehr Verben im Präsens. Setzen Sie die richtigen Verbformen ein.

1. Ich _____ Studentin/Student, was _____ du? (sein)

2. Wir _____ jetzt Deutsch, was _____ ihr? (haben)

3. Er _____ Lehrer, was _____ du? (werden)

4. Sie (pl.) _____ das schon, was _____ Sie? (wissen)

5. _____ ich alles, was du _____? (haben)

6. _____ du, wie viel er _____? (wissen)

7. Wenn sie (sing.) zwanzig _____, _____ ich vierzig. (werden)

8. Er _____ alt, aber wir _____ älter. (sein)

F. Kennen oder wissen? Übersetzen Sie die Sätze. Verwenden Sie die **du**-Form für *you*.

1. What do you know about (**über**) Germany?

_____

2. I know some (**einige**) people in Berlin.

_____

3. Do you know where Berlin is?

_____

4. Yes! I know the city very well.

_____

 Copyright © Houghton Mifflin Company. All rights reserved.

5. Do you know the people well?

_____

6. Why do you want to know?

_____

7. You know that I always ask questions!

_____

G. Anders gesagt. Schreiben Sie die Sätze um, ohne Modalverben oder **werden** zu benutzen.

BEISPIEL   Ich muss morgen einkaufen.   *Ich kaufe morgen ein.*

1. Wo kann man interessante Leute kennen lernen?

_____

2. Weiß dein Freund, dass du ausgehen wirst?

_____

3. Der Zug wird um 08.15 Uhr von Gleis 2 nach Hamburg abfahren.

_____

4. Mein Mitbewohner (*roommate*) will seine Freundin heute Abend anrufen.

_____

5. Könnt ihr die Hausaufgaben für morgen bitte aufschreiben?

_____

6. Nach dem Essen sollen wir spazieren gehen.

_____

7. Weißt du, ob er heute Nachmittag mitkommen wird?

_____

8. Wenn Sie nicht aufpassen können, werden Sie diesen Satz falsch umschreiben!

_____

Copyright © Houghton Mifflin Company. All rights reserved.

H. Das Verb fehlt! Schreiben Sie ganze Sätze mit den richtigen Verbformen.

   BEISPIEL   Sie (*formal*) / die Frage / ?   (verstehen)   *Verstehen Sie die Frage?*

1. wisst ihr / wann sie (*sing.*) / ?   (nachkommen)

   _____

2. er / eine schlechte Note / in der Prüfung / ?   (bekommen)

   _____

3. du / mit 200 Euro / im Monat / ?   (auskommen = *to manage, make due*)

   _____

4. wir / dem Stress nicht   (entkommen = *to escape*)

   _____

5. warum / Sie / den Preis / dieses Jahr nicht / ?   (vergeben = *to award*)

   _____

6. wie viel Geld / sie (*sing.*) / jeden Monat / für ihre Wohnung / ?   (ausgeben)

   _____

7. ich / dir / deinen Regenschirm / morgen   (zurückgeben)

   _____

   Copyright © Houghton Mifflin Company. All rights reserved.

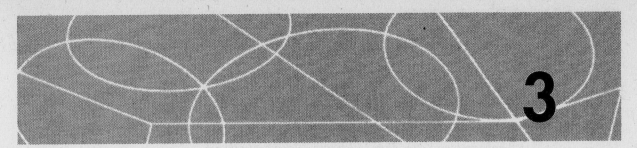

Present Perfect Tense

A. Partizipien. Bilden Sie das Partizip.

BEISPIEL lernen *gelernt*

1. hören _____
2. korrigieren _____
3. kosten _____
4. legen _____
5. arbeiten _____

6. (*sich*) ärgern _____
7. studieren _____
8. haben _____
9. passieren _____
10. schreiben _____

B. Welches Verb passt? Setzen Sie das Partizip des richtigen Verbs ein.

BEISPIEL Wir haben bis drei Uhr morgens _____. (tanzen, wohnen)
Wir haben bis drei Uhr morgens getanzt.

1. Wann haben Sie in Jena _____? (studieren, hören)
2. Dieser Dichter hat im 18. Jahrhundert _____. (leben, wohnen)
3. Die Prinzen haben ein Lied über Deutschland _____. (sitzen, singen)
4. Das Problem haben wir noch nie _____. (arbeiten, diskutieren)
5. Warum habt ihr das _____? (tun, fliegen)
6. Der Hund hat mir in die Hand_____. (reisen, beißen)
7. Diese fleißige Studentin hat bis tief in die Nacht _____. (studieren, lernen)
8. Gisela hat ihre Geburtstagsgeschenke _____. (öffnen, kaufen)

C. An der Bushaltestelle. Setzen Sie das Partizip des richtigen Verbs aus der Liste ein.

denken	kennen	nennen	stehen
erkennen	mitbringen	rennen	wissen

Gestern bin ich zur Bushaltestelle (1) _____. Ich habe (2) _____,

dass der Bus um zwei Uhr fährt. Ich habe nicht (3) _____, dass er am Wochenende

erst um halb drei fährt. Ich habe also eine halbe Stunde an der Haltestelle (4) _____.

Copyright © Houghton Mifflin Company. All rights reserved.

Zum Glück hatte ich einen guten Roman (5) _____. Dann kam ein Junge, den ich vom Fußballverein von zu Hause (6) _____ habe. Er hat mich Goethe (7) _____, weil ich immer ein Buch dabei hatte. Er hat mich natürlich sofort (8) _____.

D. Sätze im Perfekt. Schreiben Sie die Sätze in das Perfekt um.

> **BEISPIEL**   Ich trinke meinen Kaffee ohne Milch und Zucker.
> *Ich habe meinen Kaffee ohne Milch und Zucker getrunken.*

1. Unsere Eltern verbieten (*forbid*) uns nichts.

   _____

2. Frau Mecklenburg spricht mit ihren Mietern über die Hausordnung.

   _____

3. Herr Pauker gibt uns zu viele Hausaufgaben auf.

   _____

4. Inge kauft einen neuen Roman.

   _____

5. Sonntagnachmittag esse ich einen Riesenbecher Eis im Eiscafé!

   _____

6. Sonja versteht ihre Professorin nicht.

   _____

7. Die Geschichtsvorlesung beginnt schon um halb neun.

   _____

8. Der Vogel fliegt in die Tiefgarage.

   _____

E. Was haben Sie mit jedem Gegenstand gemacht? Wählen Sie ein Verb aus der Liste aus und schreiben Sie Sätze im Perfekt.

> **BEISPIEL**   das Buch   *Das Buch habe ich gelesen.*

gehen	laufen	messen	sehen	singen
helfen	lesen	schneiden	sein	machen

1. das Lied

   _____

2. die Tomaten

   _____

3. den neuen Film

   _____

   Copyright © Houghton Mifflin Company. All rights reserved.

NAME _____   DATUM _____

4. dem alten Herrn

_____

5. meine Hausaufgaben nicht

_____

6. den Abstand (*distance*)

_____

F. **Das Verb fehlt.** Schreiben Sie Sätze mit dem Verb im Perfekt.

   BEISPIEL   Ich / nicht genug Geld. (mitnehmen)   *Ich habe nicht genug Geld mitgenommen.*

1. Die Studentin / nicht   (zuhören)

_____

2. Den Brief / er / erst heute Nachmittag   (abschicken)

_____

3. In der Buchhandlung / sie (*pl.*) / zu viel Geld   (ausgeben)

_____

4. Obwohl Lutz eine schöne Stimme hat / er / nicht   (mitsingen)

_____

5. Der Papagei / das Kind   (faszinieren)

_____

6. Die Prüfung / ich / eine Viertelstunde zu spät   (abgeben)

_____

7. Den Stadtplan / ihr / euch noch nicht / nicht wahr / ?   (ansehen)

_____

8. Ich / meinen Autoschlüssel / im Einkaufszentrum   (verlieren)

_____

G. **Was habe ich nur gemacht!** Setzen Sie das Partizip des richtigen Verbs aus der Liste ein. Verwenden Sie jedes Verb nur einmal.

   BEISPIEL   Letzte Woche habe ich meine Freunde _____*beleidigt*_____.

   ~~beleidigen~~ (*to insult*)   enttäuschen (*to disappoint*)   vermissen
   beschreiben   missverstehen   versprechen
   besuchen   verlieren   verstehen

Ich habe ihnen (1) _____ eine Geburtstagsfete für Daniel zu organisieren.

Ich habe ihnen meine Pläne sogar (*even*) (2) _____. Aber wir haben uns

Copyright © Houghton Mifflin Company. All rights reserved.

(3) _____, denn ich habe das Fest für nächste Woche geplant, aber sie haben

(4) _____, dass wir schon diesen Freitag feiern würden. Nun habe ich Freitag meine

Schwester in Leipzig (5) _____, weil ich sie (6) _____ habe.

Meine Freunde habe ich sehr (7) _____ und vielleicht sogar (8) _____.

H. *Haben* oder *sein*? Setzen Sie die richtige Form des Hilfsverbs ein.

   BEISPIEL   Karl _____*hat*_____ ein Brötchen gekauft.

   1. _____ du wirklich während der Vorlesung eingeschlafen?

   2. Ich _____ endlich nach Paris gefahren.

   3. Wann _____ Sie den Reichstag in Berlin besichtigt?

   4. Mensch, _____ du im Urlaub braun geworden!

   5. Wir _____ keine Lust gehabt sechs Stunden im Regen zu sitzen.

   6. Mir _____ gestern etwas Komisches passiert!

   7. Wir _____ den ganzen Tag zu Hause geblieben.

   8. Ich _____ mein Auto ins Parkhaus gefahren.

   9. Endlich _____ es mir gelungen!

   10. Er _____ mich nicht wiedererkannt.

I. **Wortschatz.** Schreiben Sie die Sätze ins Perfekt um.

   BEISPIEL   Dienstag fahre ich zum Bahnhof.
   Dienstag bin ich zum Bahnhof gefahren.

   1. Viele Studenten hängen Poster an jede Wand in ihrem Zimmer.

   _____

   2. Der Schlüssel hängt schon die ganze Zeit an der Wand neben der Tür.

   _____

   3. Die Höhe (*height*) erschreckt viele Radfahrer.

   _____

   4. Bärbel wendet sich an mich um Hilfe.

   _____

   5. Meine Freunde legen keinen Wert auf Mode.

   _____

   6. Meine Eltern schicken mir jeden Monat ein Päckchen.

   _____

   Copyright © Houghton Mifflin Company. All rights reserved.

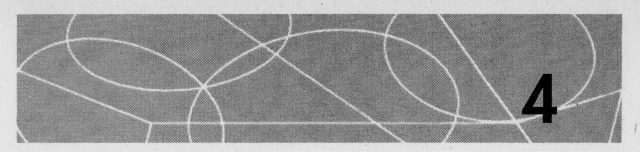

Cases and Declensions

A. Artikel. Schreiben Sie die richtige Form des Artikels.

> **BEISPIEL** der Hut (*acc., gen.*) *den Hut, des Hut(e)s*

1. die Tafel (*dat., acc.*) _____

2. das Lesebuch (*acc., gen.*) _____

3. die Studentinnen (*dat., gen.*) _____

4. die Kreide (*acc., gen.*) _____

5. der Stuhl (*acc., dat.*) _____

6. die Bleistifte (*acc., dat.*) _____

7. der Kuli (*dat., gen.*) _____

8. das Geld (*dat., acc.*) _____

9. die Gefühle (*acc., dat.*) _____

10. der Händler (*gen., dat.*) _____

B. Der richtige Artikel. Setzen Sie das passende Wort mit dem richtigen Artikel ein.

> **BEISPIEL** Im Film hat Manni _____ *die Diamanten* _____ verloren.

~~Diamanten~~	Geld	Händler	Polizisten (*pl.*)	Treffpunkt
Fahrrad	Geldtasche	Pistole	Problem	

1. Der Obdachlose bekommt _____ von Manni.

2. _____ kann nicht von Lolas Vater kommen.

3. _____ will seine Diamanten zurück haben.

4. _____ kann nicht so einfach gelöst werden!

5. Manni hofft, dass Lola _____ findet.

6. _____ hat er in der U-Bahn verloren.

7. Er sieht _____ zwischen den Gebäuden.

8. _____ laufen ihm nach.

Copyright © Houghton Mifflin Company. All rights reserved.   Aufgaben zur Struktur ▪ 4   **79**

C. Wem? Ergänzen Sie die Sätze.

BEISPIEL   Sie schreibt eine Postkarte.   (die Schwester)
Sie schreibt der Schwester eine Postkarte.

1. Der Krankenpfleger (*male nurse*) bringt ihre Medikamente.   (die Patientin)

   _____

2. Der Dozent (*teaching assistant*) beschreibt die Aufgabe.   (die Studenten)

   _____

3. Ich habe den Film empfohlen.   (der Mann)

   _____

4. Die Frau erklärt den Witz.   (das Kind)

   _____

D. Nomen und Pronomen. Ersetzen (*Replace*) Sie die Nomen mit Pronomen und umgekehrt (*vice versa*).

BEISPIELE   Monika sagt dem Jungen die Abfahrtzeit (*time of departure*).
Sie sagt sie ihm.

Er beantwortete sie ihm.   (Jan, die Frage, der Herr)
Jan beantwortete dem Herrn die Frage.

1. Hans kauft seiner Mutter ein Telefon.

   _____

2. Er zeigte ihn ihr. (Peter, der Mantel, die Kundin)

   _____

3. Manni bekommt das Geld von Lola.

   _____

4. Der Vater glaubt seiner Tochter nicht.

   _____

5. Astrid leiht ihrer Freundin ihr Auto.

   _____

6. Er bereitet es ihr vor (*prepares*).   (der Junge, seine Freundin, das Abendessen)

   _____

7. Der Maler tapezierte Frau Meier die Wohnnug.

   _____

    Copyright © Houghton Mifflin Company. All rights reserved.

E. **Welcher Fall?** Ergänzen Sie die Sätze.

1. So was würde _____ nie einfallen.   (*the child*)

2. Die Hunde laufen _____ nach.   (*the cat*)

3. Mein Bruder ist _____.   (*the cook*)

4. Gestern ist sie _____ begegnet.   (*the actress*)

5. Das Haus kostet _____ eine Menge Geld.   (*the people*)

6. Der Affe im kleinen Käfig tut _____ Leid.   (*the children*)

7. Er läuft _____ hinauf.   (*the street*)

F. **Auf Deutsch!** Übersetzen Sie die Sätze.

1. The owner (**der Besitzer**) of the apartments comes from the region (**die Gegend**).

_____

2. The name of the river is the (**der**) Neckar.

_____

3. Hölderlin's house is on the river.

_____

4. The name of the founder (**der Gründer**) of the university is Karl Eberhard.

_____

5. Is the name of the city Tübingen? Yes!

_____

G. **Wie viel?** Ergänzen Sie die Sätze.

BEISPIEL   Gabi bestellt eine _____*Tasse Tee*_____ (*a cup of tea*).

1. Wir brauchen _____ (*a container* = ein Becher *of yogurt*).

2. Er hat _____ (*a lot of money*) verloren.

3. Ich will _____ (*a pound of meat*) auf dem Markt kaufen.

4. Sie sieht _____ (*a row of policemen*).

5. Ich will _____ (*a liter of milk*) auf dem Markt kaufen.

6. Sie sollte _____ (*the box* = die Schachtel *of cigarettes*) nicht kaufen.

7. Kauft ihr noch _____ (*a bottle of wine*) für das Fest ein?

Copyright © Houghton Mifflin Company. All rights reserved.

H. Die Prinzessin auf der Erbse (*pea*). Vervollständigen Sie die Sätze mit den richtigen Artikeln.

Es war einmal ein schöner junger Prinz. (1) _____ Prinz wollte (2) _____ echteste Prinzessin

(3) _____ Welt heiraten (*marry*). Er reiste durch die ganze Welt, um (4) _____ schönste und beste

Prinzessin zu finden. Doch (5) _____ vielen Prinzessinnen, (6) _____ er gefunden hatte, waren alle

nicht gut genug. (7) _____ Prinz hat (8) _____ Prinzessinnen geprüft, aber keine hat

(9) _____ Prüfung bestanden.

    Eines Nachts gab es (10) _____ schrecklichsten Sturm (*m.*) (11) _____ Jahres und jemand

klopfte an die Tür. (12) _____ Regen strömte hernieder, und (13) _____ alte König ging zu der

Tür, um aufzumachen. Draußen stand eine Prinzessin. (14) _____ Prinzessin fragte (15) _____

König, ob sie übernachten durfte. (16) _____ Prinzessin gefiel (17) _____ Prinzen sehr.

(18) _____ Mutter (19) _____ Prinzen wollte ihrem Sohn helfen. (20) _____ alte Königin

bezweifelte (*doubted*), dass (21) _____ schöne Fräulein vor der Tür eine wirkliche Prinzessin war. Bevor

(22) _____ Königin (23) _____ Prinzessin zeigte, wo sie übernachten sollte, nahm (24) _____

Mutter (25) _____ Prinzen (26) _____ Bett (27) _____ Prinzessin auseinander (*apart*) und

legte eine kleine Erbse (*pea*) auf den Boden (28) _____ Bettes. Dann legte (29) _____ Königin

zwanzig Matratzen darauf.

    Am nächsten Morgen fragte (30) _____ ganze Familie (31) _____ Prinzessin, wie sie

geschlafen habe. (32) _____ Prinzessin gab (33) _____ richtige Antwort: sie hatte kaum schlafen

können, weil sie (34) _____ Erbse unter den zwanzig Matratzen gespürt hatte. (35) _____ Prinz

nahm (36) _____ Prinzessin zur Frau, weil er wusste, dass sie (37) _____ echteste Prinzessin

(38) _____ Welt war. (39) _____ Erbse kann man heute noch in dem Museum (40) _____

Stadt finden, falls niemand sie weggenommen hat.

  Copyright © Houghton Mifflin Company. All rights reserved.

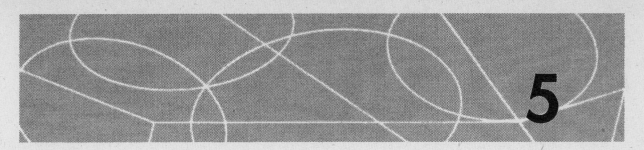

Articles and Possessive Adjectives • Articles Used as Pronouns

A. Am Strand! Schreiben Sie die richtigen Artikel in die Lücken und ergänzen Sie die Endungen der Possessivpronomen.

1. Der Strand ist mein_____ Lieblingsort im Sommer.

2. _____ ganze Familie kann sich dort amüsieren.

3. Für _____ kleinen Kinder gibt es Sand und Wasser zum Spielen.

4. Mein_____ große Schwester liegt ganzen Tag in _____ Sonne, denn sie will braun werden.

5. Mein_____ kleiner Bruder fährt mit sein_____ Freunden Fahrrad.

6. Mein_____ Mutter geht mit mein_____ Vater spazieren.

7. Ich schreibe alles in mein_____ Tagebuch auf, damit ich unser_____ tollen Urlaub nie vergesse!

8. Ich schreibe auch Postkarten an mein_____ Freunde, damit sie sehen, wie schön _____ Strand ist.

B. Ein komisches Märchen. Setzen Sie die richtige Form von **der** oder **ein** ein.

   BEISPIEL   Es war einmal _____*eine*_____ Prinzessin namens Elisabeth.

(1) _____ junge Frau wohnte in (2) _____ großen Schloss

(*n., castle*) und hatte (3) _____ schönen Freund. Sein Name war Heinz und er war

(4) _____ junger Prinz, der (5) _____ Prinzessin oft

besuchte. Heinz wollte (6) _____ Prinzessin Elisabeth heiraten, damit er

(7) _____ König und sie (8) _____ Königin

(9) _____ Landes werden würden. Heinz spielte Schach (*chess*) mit

(10) _____ Prinzessin, und er half ihr auch (11) _____

Schloss sauber zu machen, denn Elisabeth wollte (12) _*k*_____ Diener (*pl., servants*)

haben. Eines Tages kam (13) _____ hungriger Drache (*m., dragon*) und fraß viele

Leute in (14) _____ Schloss und brannte alles mit seinem feurigen Atem (*m., breath*)

ab. (15) _____ Leute in (16) _____ Stadt hörten

(17) _____ Hilfeschreie (*cries for help*) (18) _____ Leute im

Copyright © Houghton Mifflin Company. All rights reserved.

Schloss, aber (19) _____ Atem (20) _____ Drachen nahm

(21) _____ Leuten (*dat.*) (22) _____ Mut (*m., courage*).

(23) _____ Drache nahm (24) _____ Freund

(25) _____ Prinzessin und (26) _____ Bäuerin

(*female farmer*) aus (27) _____ Stadt gefangen (*captive*). Elisabeth folgte (*dat., followed*)

(28) _____ Drachen, um ihren Freund und (29) _____

Bäuerin zu retten. Und weil sie (30) _____ kluge Frau war, konnte sie

(31) _____ beiden auch retten!

C. **Mit oder ohne Artikel?** Wählen Sie die passenden Wörter aus der Liste und vervollständigen Sie die Sätze.

Arbeit	**Ort**	**Raum**	**Zimmer**
Kellner(in)	**Platz**	**Stelle**	

1. Ich bin _____ in der Kneipe nebenan.

2. Ist das _____, wo wir uns kennen gelernt haben?

3. Nein, es war auf _____ vor der Kneipe, neben dem Springbrunnen (*fountain*). Erinnerst du dich nicht?

4. Doch, jetzt wo du es sagst. An _____ haben wir uns zum ersten Mal gesehen.

5. Kurz danach ist dort _____ als Kellner(in) freigeworden und ich habe mich dafür beworben (*applied for*).

6. Mit dem Geld, das ich verdiene, kann ich mir eine größere Wohnung leisten (*afford*), damit ich genug _____ habe.

7. Früher habe ich nur ein kleines _____ gehabt.

8. An deiner _____ hätte ich auch eine größere Wohnung gesucht!

D. **Auf Deutsch!** Übersetzen Sie die Sätze. Verwenden Sie die Kontraktionen **im, zur,** usw. wenn möglich.

1. My girlfriend has invited me to dinner on Thursday.

_____

2. She lives in an apartment on Mozart Square.

_____

3. I'll travel by bus, not by car.

_____

4. She will have pictures of her trip to (**in**) Switzerland.

_____

5. She went with her mother and father.

_____

 Copyright © Houghton Mifflin Company. All rights reserved.

6. Her parents like to travel (**gern reisen**), but mine don't.

_____

7. We did not go on vacation last year.

_____

8. This year we will go to the beach.

_____

E. Fremdsprachen lernen! Setzen Sie die richtige Form des Wortes ein.

   BEISPIEL _____ *Manche* _____ Leute finden es wichtig eine Fremdsprache zu lernen.
   (manch-)

1. Nicht _____ Student und _____ Studentin findet
   es einfach. (jed-)

2. _____ Fremdsprache finden Sie am wichtigsten? (welch-)

3. Bei _____ Fremdsprache muss man fleißig sein. (jed-)

4. Fleiß ist das Kennzeichen (*trademark*) _____ guten Studenten. (all-)

5. Mit _____ Arbeitsheft üben wir Deutsch. (dies-)

6. Kennen Sie eine Autorin _____ Heftes? (ein- solch-)

7. _____ Kurs ist bestimmt Ihr Lieblingskurs! (dies-)

8. Deutsch ist die Muttersprache _____ Dichter und Denker (*pl.*). (manch-)

F. Kaufen wir einen Computer! Schreiben Sie die Sätze mit **der**-Wörtern um.

   BEISPIEL Das Geschäft gehört der Familie Müller. (dies-)
   Dieses Geschäft gehört der Familie Müller.

1. Die Mitarbeiter im Geschäft sind sehr hilfsbereit. (all-)

_____

2. Sie verkaufen eine Sorte von Computern. (jed-)

_____

3. Den Computer wünscht sich die Susanne. (dies-)

_____

4. Mit dem Computer könnte sie besser arbeiten. (jen-)

_____

5. Der Computer gefällt Jörg auch. (so ein-)

_____

Copyright © Houghton Mifflin Company. All rights reserved. Aufgaben zur Struktur ▪ 5   **85**

6. Die Leute haben schon wesentlich (*considerably*) mehr dafür bezahlt.   (manch-)

_____

7. Den Computer soll sich die Susanne kaufen.   (solch ein-)

_____

G. **Mehr *der*-Wörter.** Setzen Sie die richtige Form des **der**-Wortes ein.

> **BEISPIEL** _____*Solche*_____ Bücher lese ich gern.   (*such*)

1. Neugier (*curiosity*) hat den Untergang _____ Katze verursacht.   (*many a*)

2. Ich habe _____ Raum (*m.*) durchsucht!   (*every*)

3. _____ Enkelkind (*grandchild*) schenken Sie das Büchlein?   (*which*)

4. Die Kinder hören nicht _____ Erwachsenen (*adults*) zu!   (*all*)

5. Passt Ihnen _____ Termin (*m., appointment*)?   (*this*)

6. Oder möchten Sie lieber _____ haben?   (*that*)

7. Der Ruf (*reputation*) _____ Geschäftsleute ist nicht gut.   (*such*)

8. Wir brauchen die Mitarbeit _____ Einzelnen (*m., individual*).   (*each*)

H. **Gehen wir zelten!** Setzen Sie das passende Possessivpronomen ein.

> **BEISPIEL** Fahren wir mit _____*unserem*_____ Auto oder mit
>
> _____*seinem*_____?   (wir; er)

1. Wir brauchen _____ Kamera (*f.*), weil _____ kaputt ist.
   (du; ich)

2. Bringt Eva _____ Rucksack mit, oder brauchen wir

   _____?   (sie; ich)

3. Ludger und Amalie unterhalten uns mit _____ Gitarren und Georg mit

   _____.   (sie *pl.*; er)

4. Eva denkt, dass _____ Lieder schöner sind als _____.
   (sie; wir)

5. Ist die Farbe _____ Zeltes (*n.*) heller als die _____?
   (du; er)

6. Da ist _____ Campingplatz, aber wo ist _____?
   (ihr; wir)

7. Hast du _____ Handy (*n., cell phone*) mitgebracht? Ich habe

   _____ vergessen.   (du; ich)

8. Ich habe _____ auch vergessen – vielleicht haben Ludger und Amalie

   _____ dabei.   (ich; sie *pl.*)

   Copyright © Houghton Mifflin Company. All rights reserved.

6

Negation • Imperatives

A. **Nein, nein, nein!** Beantworten Sie die Fragen mit **kein.**

> **BEISPIEL**   Haben Sie heute Abend Zeit?   *Nein, ich habe heute Abend keine Zeit.*

1. Hast du Lust mit uns tanzen zu gehen?

   _____

2. Singst du witzige Lieder unter der Dusche?

   _____

3. Esst ihr Gemüse?

   _____

4. Haben wir Geld für so etwas?

   _____

5. Möchten Sie einen Staubsauger kaufen?

   _____

6. Kann er Deutsch?

   _____

7. Gibt es dort eine Mensa?

   _____

8. Hat Georg heute eine Klausur (*exam*) geschrieben?

   _____

B. **Die Liebe ist schon schwierig!** Verneinen Sie die Sätze mit **nicht** oder **kein.**

> **BEISPIELE**   Sie will einen neuen Freund.
> *Sie will keinen neuen Freund.*
>
> Das hat er verstanden.
> *Das hat er nicht verstanden.*

1. Warum rufst du mich an?

   _____

Copyright © Houghton Mifflin Company. All rights reserved.

2. Weil ich Zeit für so etwas habe.

_____

3. Morgen kann ich ins Kino gehen.

_____

4. Hast du Geld oder Lust?

_____

5. Ganz ehrlich (*honestly*) gesagt, will ich dich sehen.

_____

6. Warum denn? Magst du mich?

_____

7. Ich habe einen guten Grund dafür. Ich will bloß (*just*) mit dir zusammen sein.

_____

8. Dann habe ich Lust mit dir zu telefonieren. Tschüs!

_____

_____

C. Nochmals nein! Beantworten Sie die Fragen im Negativ mit **nie, niemals** oder **nicht**.

    BEISPIEL   Geht ihr oft schwimmen?
                  Nein, wir gehen nie(mals) schwimmen.

1. Sind Sie schon in Deutschland gewesen?

_____

2. Essen Sie jeden Tag in der Mensa?

_____

3. Hast du das neueste Buch von Christa Wolf gelesen?

_____

4. Macht ihr immer eure Hausaufgaben?

_____

5. Wann gibst du mir deine Telefonnummer?

_____

D. Nicht das, sondern das ... Verneinen Sie die Sätze und beginnen Sie die Alternative mit **sondern**.

    BEISPIEL   Ich fahre mit dem Bus in die Stadt.   (Fahrrad)
                  Ich fahre nicht mit dem Bus in die Stadt, sondern mit dem Fahrrad.

1. Die Kinder trinken Cola.   (Saft)

_____

2. Stefan kocht heute Abend für uns.   (übermorgen Abend)

_____

   Copyright © Houghton Mifflin Company. All rights reserved.

3. In ihrem Zimmer hängen Poster.   (Pflanzen)

_____

4. Meine Eltern fahren morgen früh mit dem Auto zum Flughafen.   (mit dem Bus)

_____

E.   Mach es! Bilden Sie die Imperative.

   BEISPIEL   mitkommen (du, ihr)   *Komm mit!   Kommt mit!*

1. lesen (ihr, du) _____

2. sprechen (du, wir) _____

3. hören (Sie, ihr) _____

4. ins Kino gehen (wir, Sie) _____

5. um die Ecke laufen (ihr, du) _____

6. verzeihen (Sie, du) _____

F.   Anders gesagt. Schreiben Sie die Sätze in den Imperativ um.

   BEISPIEL   Müsst ihr so laut sein?   *Seid nicht so laut!*

1. Herr Müller, Sie sollen nicht so viel Fleisch essen.

_____

2. Elke, kannst du mir mein Fahrrad zurückgeben?

_____

3. Können wir jetzt Feierabend machen (*quit for the day*)?

_____

4. Claas, du sollst deine Schwester in Ruhe lassen!

_____

5. Frau Keck, würden Sie bitte langsamer fahren?

_____

6. Kinder, ihr solltet euch nicht immer so zanken (*fight*)!

_____

7. Jörg, wollen wir heute Abend nicht ausgehen?

_____

8. Die Hausaufgaben dürft ihr aber nicht vergessen!

_____

Copyright © Houghton Mifflin Company. All rights reserved.

G. Das ist verboten. Schreiben Sie die Sätze um. Benutzen Sie den Infinitiv als Imperativ.

> **BEISPIEL** Sie dürfen im Krankenhaus nicht rauchen. *Im Krankenhaus nicht rauchen!*

1. Sie sollen Abstand (*distance*) vom Schalter (*counter*) halten.

   _____

2. Sie dürfen keine Flaschen aus dem Fenster werfen.

   _____

3. Im Museum darf man nur ohne Blitz fotografieren.

   _____

4. Der Energieberater (*energy consultant*) empfiehlt, die Türen immer zu schließen.

   _____

H. Ihre Aussage dazu, bitte! Was sagen Sie in den folgenden Situationen? Benutzen Sie **bitte** oder passende Partikeln.

> **BEISPIEL** Ihre Freundin steht vom Tisch auf, um sich ein Glas Milch zu holen.
> *Hol mir bitte auch eins!* (oder: *Holst du mir auch eins?*)

1. Sie fahren abends mit einem Freund nach Hause. Es ist dunkel und die Straßen sind glatt (*slippery*), aber er fährt sehr schnell.

   _____

2. Sie haben eine Stelle (*job*) bei der Bank bekommen und wollen es Ihren Freundinnen erzählen. Versuchen Sie, sich Aufmerksamkeit (*attention*) zu verschaffen, sodass sie Ihnen zuhören.

   _____

3. Sie brechen beim Schlittschuhlaufen (*ice skating*) durch das Eis und Ihre Freunde tun nichts, um Ihnen zu helfen.

   _____

4. Sie verkaufen Staubsauger (*vacuum cleaners*) und ein Mann glaubt nicht, dass sie so toll sind, wie Sie behaupten (*claim*). Damit er sieht, wie gut sie funktionieren, fordern Sie ihn heraus (*challenge*) einen selbst auszuprobieren.

   _____

5. Sie unterrichten (*teach*) Deutsch und die Studenten haben Ihnen den ganzen Tag überhaupt nicht zugehört. Sie sind sehr frustriert und schreien (*scream*) die Studenten an, um sie unter Kontrolle zu bringen.

   _____

6. Sie arbeiten im Büro und eine Frau kommt herein, um sich zu beschweren (*file a complaint*). Sie verweisen (*direct*) die Frau höflich in das Zimmer der Leiterin, Frau Voss.

   _____

 Copyright © Houghton Mifflin Company. All rights reserved.

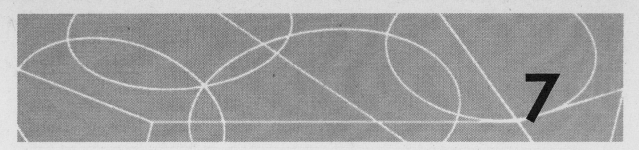

Simple Past Tense • Past Perfect Tense

A. Die richtige Verbform. Schreiben Sie die folgenden Verben in den richtigen Präteritumsformen.

   BEISPIEL   lachen (*to laugh*) (er, wir)   *er lachte   wir lachten*

1. rennen (er, wir) _____

2. sagen (ich, Sie) _____

3. brauchen (ihr, du) _____

4. kosten (es, sie *pl.*) _____

5. trainieren (sie *sing.*, du) _____

6. niesen (*to sneeze*) (ich, du) _____

7. retten (*to save*) (Sie, ihr) _____

8. fliegen (es, du) _____

9. erscheinen (sie *pl.*, sie *sing.*) _____

10. finden (ich, Sie) _____

B. Das Verb fehlt. Setzen Sie die richtigen Präteritumsformen der Verben ein.

   BEISPIEL   Er _____*brachte*_____ keine Pfeile mit.   (bringen)

1. Der Mann _____ durch den Wald.   (rennen)

2. Er _____, dass er sterben würde.   (denken)

3. Die drei Damen _____ den Mann nicht, aber sie _____
   ihn trotzdem.   (kennen, retten)

4. Sie _____ ihn zu ihrer Fürstin.   (bringen)

5. Den Verstorbenen (*deceased*) _____ ich nicht.   (kennen)

6. Die Frau _____ nicht, dass wir gekommen sind.   (wissen)

7. _____ ihr wirklich, dass wir unser Haus verkaufen würden?   (denken)

8. Die Kinder in der Nachbarschaft _____ ihn immer „Opa".   (nennen)

9. Warum _____ Sie sich nicht an mich um Hilfe?   (wenden)

Copyright © Houghton Mifflin Company. All rights reserved.

C. Das Geburtstagsfest. Schreiben Sie die Sätze in das Präteritum um.

BEISPIEL   Um 19.00 Uhr sind die Gäste gekommen.
            Um 19.00 Uhr kamen die Gäste.

1. Wir haben auf Stühlen an der Bar gesessen.

   _____

2. Petra hat viel getrunken.

   _____

3. Ich habe Michael im Restaurant gesehen.

   _____

4. Wir haben genug Geld mitgenommen.

   _____

5. Ich habe die Speisekarte gelesen.

   _____

6. Daniel hat dem Kellner ein gutes Trinkgeld (*tip*) gegeben.

   _____

7. Wir haben für Petra „Happy Birthday" gesungen.

   _____

8. Sie hat von jedem ein Geschenk bekommen.

   _____

9. Zum Kaffee hat es Kuchen gegeben.

   _____

10. Das Fest ist sehr schön gewesen.

    _____

D. Rund um die Uni. Bilden Sie Sätze im Präteritum.

BEISPIEL   die Studenten / am Marktplatz sich versammeln
            Die Studenten versammelten sich am Marktplatz.

1. wir / an der Bibliothek vorbeilaufen _____

2. sie (*sing.*) / das Studentenheim besuchen _____

3. der Hörsaal / letztes Jahr abbrennen _____

4. ich / gestern meine Studiengebühren bezahlen _____

5. die Mensa / um 18 Uhr zumachen _____

6. ich / Schreibpapier und Stifte im Laden einkaufen _____

    Copyright © Houghton Mifflin Company. All rights reserved.

7. die Professorin / das Buch empfehlen _____

8. mein Freund / sich Geld am Bankautomaten holen _____

9. wir / den ganzen Nachmittag im Café verbringen _____

10. ich / meine Eltern letzte Woche anrufen _____

E. **Alte Schriftarten.** Setzen Sie die richtigen Präteritumsformen der Verben ein.

BEISPIEL   Die deutsche Schrift _____ *war* _____ nicht immer so, wie wir sie heute
kennen. (*sein*)

1. Sie _____ sich während der Gotik _____.
(*heranbilden* = *to develop slowly*)

2. Die Mönche (*monks*) und Schreibmeister _____ Buchstaben neben Buchstaben,
ohne Verbindungsstriche (*connecting lines*).   (*setzen*)

3. Allmählich (*gradually*) _____ die gotischen Buchstaben vereinfacht (*simplified*)
und durch Striche miteinander verbunden.   (*werden*)

4. Diese Schrift _____ man   *die Kurrentschrift*
„Kurrentschrift".   (*nennen*)

5. Deutsche Schülerinnen und Schüler _____ diese Kurrentschrift bis in die
zwanziger Jahre des letzten Jahrhunderts.   (*lernen*)

6. Viele Leute _____ diese Schrift schön, aber man _____
viel Zeit, um sie sauber zu schreiben.   (*finden, brauchen*)

7. Nach dem ersten Weltkrieg _____   *die Sütterlin-Schrift*
eine neue, einfachere Schrift, die „Sütterlin-Schrift",
in Gebrauch.   (*kommen*)

8. Schon 1941 aber _____ es die „Deutsche Normalschrift", die lateinische Schrift,
die wir heute kennen.   (*geben*)

F. **Wortschatz.** Setzen Sie die Präteriturnsform der richtigen Verben aus der Liste ein.

eilen	**gehen**	**kommen**	**rutschen**
fahren	**humpeln**	**kriechen**	**springen**
fliegen	**klettern**	**rennen**	**stolpern**

1. Die Familie _____ in den Ferien mit Lufthansa nach Italien.

2. Die Studentin _____ durch die Stadt, um pünktlich anzukommen.

3. Die Mannschaft _____ den Berg hoch.

4. Wir _____ zum Bus, aber wir waren zu spät.

5. _____ ihr rechtzeitig (*on time*) an?

6. Sie _____ in das Zimmer, weil sie sich das Bein verletzt hat.

7. Der Käfer (*beetle*) _____ das Bein des Jungen hoch.

8. Es tut mir Leid, dass ich über Ihren Fuß _____.

Copyright © Houghton Mifflin Company. All rights reserved.

G. Der Alltag. Bilden Sie das Plusquamperfekt.

> **BEISPIEL**   um 6 Uhr aufstehen   (er)   *Er war um 6 Uhr aufgestanden.*

1. zusammen frühstücken   (wir) _____

2. duschen   (ihr) _____

3. mit dem Bus fahren   (du) _____

4. eine Vorlesung hören   (er) _____

5. in der Mensa zu Mittag essen   (ich) _____

6. Bücher aus der Bibliothek holen   (du) _____

7. im Café Kaffee trinken   (sie *sing.*) _____

8. mit Freunden am Abend ausgehen   (Sie) _____

9. neue Freunde kennen lernen   (wir) _____

10. ganz spät nach Hause kommen   (ich) _____

H. Das hatten wir schon gemacht. Übersetzen Sie die Antworten mit dem Plusquamperfekt.

> **BEISPIEL**   Warum bist du gestern nicht mit ins Kino gekommen?   (*I had already seen the movie.*)
> *Ich hatte den Film schon gesehen.*

1. Wollen wir dieses Thema besprechen?   (*I thought* [Präteritum] *that we had already discussed it.*)

   _____

   _____

2. Warum habt ihr gestern nicht in der Mensa gegessen?   (*We had already eaten at home.*)

   _____

3. Warum sind deine Mitbewohner ohne dich einkaufen gegangen?   (*I had gone shopping earlier.*)

   _____

4. Ist sie mit dir nach Hause gelaufen?   (*No, she had already driven home.*)

   _____

5. Wann kam der Krankenwagen an?   (*It came after we had already helped the child.*)

   _____

   _____

6. Wann klingelte das Telefon?   (*It rang just after I had gone to bed* [ins Bett gehen].)

   _____

   _____

   Copyright © Houghton Mifflin Company. All rights reserved.

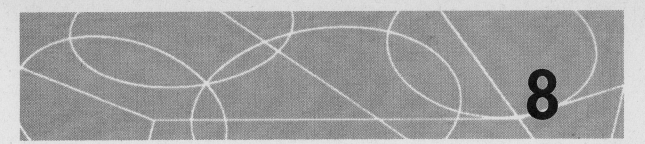

Future Tense • Future Perfect Tense

A. **Der Besuch.** Schreiben Sie die Sätze in das Futur um.

> **BEISPIEL**   Silvia kommt um acht Uhr an.
> *Silvia wird um acht Uhr ankommen.*

1. Ich hole sie dann vom Bahnhof ab.

_____

2. Fährst du mit zum Bahnhof?

_____

3. Sie freut sich bestimmt uns zu sehen.

_____

4. Danach kommen wir nach Hause zurück und trinken einen Kaffee.

_____

5. Ich glaube, dass ihr Bruder Karl anruft.

_____

6. Dann will sie natürlich ihre Mutter im Krankenhaus besuchen.

_____

7. Ich hoffe, dass ihr am Nachmittag zu uns kommen könnt.

_____

B. **Was machst du?** Schreiben Sie die Sätze in der Zukunft, ohne das Futur zu bilden.

> **BEISPIEL**   Hallo, Elisabeth! Was wirst du machen?   (heute Abend)
> *Hallo, Elisabeth! Was machst du heute Abend?*

1. Ich werde ins Kino gehen.   (um zwanzig Uhr)

_____

2. Karin, wirst du schwimmen gehen?   (morgen Nachmittag)

_____

Copyright © Houghton Mifflin Company. All rights reserved.

3. Ich werde zu Verwandten in die Stadt fahren. (übermorgen)

_____

4. Werdet ihr euch wirklich ein neues Haus kaufen? (nächstes Jahr)

_____

C. **Es wird wohl ...** Bilden Sie Sätze im zweiten Futur.

    BEISPIEL   tun (er; alles)   *Er wird alles getan haben.*

1. verstehen (sie *pl.*; die Frage)

_____

2. abfahren (der letzte Zug; wohl)

_____

3. beginnen (die Vorlesung; ohne uns)

_____

4. einkaufen gehen (ihr; heute Morgen)

_____

5. schlafen (Matthias; den ganzen Tag)

_____

D. **Auf Deutsch!** Übersetzen Sie die Sätze ins zweite Futur.

    BEISPIEL   She has probably asked twenty times.
                  Sie wird wohl zwanzigmal gefragt haben.

1. Grandma (**Oma**) probably gave you (*sing. fam.*) 10 euros.

_____

2. They have probably already left for (**fahren nach**) Germany.

_____

3. Your brother has probably received an A (**eine Eins**) on (**in**) the test.

_____

4. The doctor (*m.*) has probably tried everything possible (**alles Mögliche**).

_____

E. **Weitermachen, fortfahren, fortsetzen.** Setzen Sie die passende Form des richtigen Verbs ein.

1. Ich darf nicht einschlafen, sondern muss mit dem Lernen _____.

2. Diese Übersetzung ist gut. _____ so!

3. Nach der Pause hat der Professor die Vorlesung _____.

4. Ich entschuldige mich für die Unterbrechung, _____ Sie bitte _____.

  Copyright © Houghton Mifflin Company. All rights reserved.

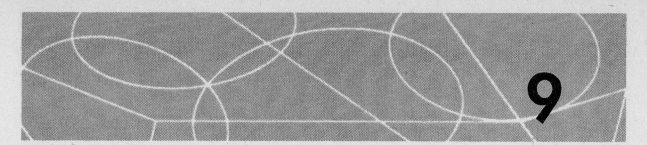

Modal Verbs

A. **Anders gesagt.** Schreiben Sie die Sätze mit den Modalverben in der richtigen Form.

> **BEISPIEL** Hans geht nicht nach Hause. (können) *Hans kann nicht nach Hause gehen.*

1. Kommst du heute Abend mit? (dürfen)

   _____

2. Wissen Sie, ob Ihr Mann morgen mithilft? (können)

   _____

3. Ihr seht euch die Stadt bestimmt an. (wollen)

   _____

4. Warum wiederholt sie sich ständig? (müssen)

   _____

5. Bis wann hast du die Arbeit fertig? (sollen)

   _____

6. Das Mädchen isst nur frisches Gemüse. (wollen)

   _____

7. In Amerika fährt man nicht ohne Sicherheitsgurt (*seat belt*). (dürfen)

   _____

8. An dem Tag habe ich schon so viel vor: ich weiß nicht, ob ich mitfahre. (können)

   _____

B. **Viele Fragen.** Beantworten Sie die Fragen. Wenn möglich, lassen Sie den Infinitiv weg.

> **BEISPIEL** Gehst du jetzt ins Bett? (ja; müssen) *Ja, ich muss jetzt ins Bett.*

1. Kommt deine Kusine heute Abend mit? (nein; dürfen)

   _____

2. Spielt ihr Samstag Volleyball? (ja; wollen)

   _____

Copyright © Houghton Mifflin Company. All rights reserved. Aufgaben zur Struktur ▪ 9 **97**

3. Trinkt deine Mutter morgens viel Kaffee?   (nein; mögen)

_____

4. Spricht dein Vater wirklich sieben Fremdsprachen?   (ja; können)

_____

5. Sagen sie uns, warum sie das gemacht haben?   (ja; müssen)

_____

C. Warum nur? Beantworten Sie die folgenden Fragen im Präteritum.

BEISPIEL   Warum ist Herr Lenk nach Hause gegangen?   (müssen; seine Kinder von der Schule abholen)
Er musste seine Kinder von der Schule abholen.

1. Warum sind die Gäste nicht früher gekommen?   (können; nicht früher kommen)

_____

2. Warum sind Sie so schnell aus dem Hörsaal gelaufen?   (müssen; auf Toilette gehen)

_____

3. Warum hat Marianne diese Stelle angenommen?   (wollen; in dieser Stadt wohnen)

_____

4. Warum seid ihr nicht ins Computerzentrum gegangen?   (dürfen; nicht ins Computerzentrum gehen)

_____

5. Warum ist Karl nicht mitgekommen?   (sollen; Hausaufgaben machen)

_____

D. „Der Struwwelpeter"*. Setzen Sie das passende Modalverb ein.

BEISPIEL   Der Struwwelpeter ließ seine Fingernägel ein ganzes Jahr nicht schneiden. Die
_____ *müssen* _____ wohl sehr lang gewesen sein!   (dürfen, müssen: Präsens)

1. Der böse Friederich _____ nicht so gemein (*mean*) sein!
   (können, sollen: Präteritum)

2. Hans Guck-in-die-Luft _____ besser aufpassen, wo er hingeht!
   (müssen, können: Präsens)

3. Die Frau Mama sagt, dass Konrad nicht an
   seinem Daumen lutschen (*suck his thumb*)

   _____ .
   (dürfen, müssen: Präsens)

4. Paulinchen _____ mit
   dem Feuerzeug spielen, obwohl sie nicht durfte.
   (wollen, sollen: Präteritum)

5. Kaspar _____ keine
   Suppe essen und er verhungerte.
   (wollen, dürfen: Präteritum)

*Old German collection of children's morality tales.

   Copyright © Houghton Mifflin Company. All rights reserved.

6. Philip _____ am Tisch nicht still sitzen und er fiel runter.
   (sollen, können: Präteritum)

7. Man nennt ihn den fliegenden Robert, weil er trotz des Sturmes nicht nach Hause kommen

   _____. Der starke Wind hat ihn mit seinem Regenschirm davongetragen!
   (sollen, wollen: Präteritum)

8. Die Geschichten in diesem Buch sind ziemlich grausam und das Buch _____
   viele Kinder schon ein bisschen erschreckt haben!   (können, mögen: Präsens)

E. Auf Deutsch! Übersetzen Sie die Sätze mit Modalverben.

1. You (*sing. fam.*) must not come too early.

   _____

2. He knows how to paint (**malen**) well (**gut**).

   _____

3. I would like to go home.

   _____

4. My father does not have to work tonight. (Verwenden Sie zwei verschiedene Konstruktionen.)

   a. _____

   b. _____

5. They are said to be very poor.

   _____

6. She claims to know everything better.

   _____

7. We want you (*sing. fam.*) to visit us in Berlin.

   _____

F. Ins Perfekt. Schreiben Sie die Sätze ins Perfekt um.

> **BEISPIEL**   Ich wollte aufgeben.
> *Ich habe aufgeben wollen.*

1. Wir sollten aufräumen (*clean up*).

   _____

2. Ihr konntet nicht hören.

   _____

3. Sie musste einkaufen.

   _____

Copyright © Houghton Mifflin Company. All rights reserved.

4. Ich mochte nicht zusehen (*watch*).

_____

5. Du wolltest lesen.

_____

6. Sie durften ausgehen.

_____

G. **Ins Futur.** Bilden Sie Sätze im Futur und mit einem passenden Modalverb.

> **BEISPIEL** nach dem Essen / ich / das Geschirr spülen (*wash the dishes*)
> *Nach dem Essen werde ich das Geschirr spülen müssen.*

1. bei so schönem Wetter / die Kinder / schwimmen gehen

_____

2. nächstes Jahr / du / ins Lokal mitkommen

_____

3. ohne genug Schlaf / er / nicht klar denken

_____

4. mit dem neuen Job / ihr / früher aufstehen

_____

H. **Was heißt denn das?** Erzählen Sie, was die Schilder bedeuten.

> **BEISPIEL** **STOP** *Hier muss man anhalten.*

1. _____

2. Einbahnstraße _____

3. _____

4. _____

 Copyright © Houghton Mifflin Company. All rights reserved.

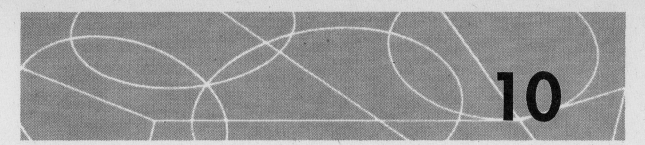

Prepositions

A. **In der Buchhandlung**. Wählen Sie die passenden Präpositionen und Artikel bzw. Endungen.

> **BEISPIEL**   Die Buchhandlung ist _____*um die*_____ Ecke.
> gegen   von   um   über

1. Ich kaufe dieses Buch _____ mein_____ Vater.
   für   **von**   **bei**   **über**

2. Diese Buchhandlung war bis vor einigen Tagen _____ Mühlstraße.
   ohne   **in**   **von**   **um**

3. Ein Auto ist _____ alt_____ Gebäude gefahren.
   gegen   **für**   **mit**   **von**

4. Es ist _____ Fenster gefahren.
   mit   **in**   **um**   **von**

5. Der Unfall ist letzten Donnerstag _____ drei Uhr passiert.
   bei   **auf**   **an**   **um**

6. Der Fahrer ist _____ Führerschein gefahren.
   mit   **für**   **gegen**   **ohne**

7. Wir sind _____ Auto gegangen und haben ihn festgehalten.
   um   **ohne**   **durch**   **mit**

8. Ich bin letzten Freitag _____ dies_____ neu_____ Gebäude umgezogen.
   durch   **in**   **für**   **gegen**

B. **Sie sind aber neugierig!** Beantworten Sie die Fragen mit einer passenden Präposition. Bei einigen Fragen passen mehrere Präpositionen.

> **BEISPIEL**   Mit wem sind Sie gekommen?   (meine Eltern)
> *Mit meinen Eltern.*

1. Wo sind Sie gewesen?   (der Augenarzt)

   _____

2. Wo liegt seine Praxis (*office*)?   (die Bank)

   _____

Copyright © Houghton Mifflin Company. All rights reserved.

3. Wohin gehen Sie jetzt?   (die Apotheke)

_____

4. Woher haben Sie diese Informationen?   (die Sekretärin)

_____

5. Wann gehen wir ins Kino?   (das Abendessen)

_____

6. Seit wann wohnen Sie hier?   (der achtundzwanzigste Februar)

_____

7. Mit wem haben Sie heute schon gesprochen?   (meine Tochter)

_____

8. Woher kommen Sie?   (die Vereinigten Staaten)

_____

C. **Richten wir die Wohnung anders ein!** Schauen Sie sich das Bild genau an. Dann beschreiben Sie, wo alles ist und was Sie damit machen, mit den angegebenen (*supplied*) Vokabeln, wie in dem Beispiel.

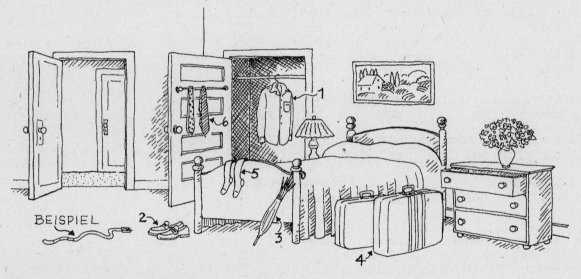

BEISPIEL   der Gürtel / Fußboden → Schublade
Der Gürtel liegt auf dem Fußboden. Ich lege ihn in die Schublade.

1. das Hemd / Schrank → Kommode

_____

2. die Schuhe / Boden → Schrank

_____

3. der Schirm / Bett → Flur (*hallway*)

_____

4. die Koffer (*pl.*) / Bett → Bett

_____

102 *Handbuch zur deutschen Grammatik* ▨ *Arbeitsheft*   Copyright © Houghton Mifflin Company. All rights reserved.

5. die Socken / Bett → Schublade

_____

6. die Krawatten / Schranktür → Schrank

_____

D. Die Erkältung. Setzen Sie die passenden Präpositionen und, wo nötig, Endungen ein.

BEISPIEL Torsten kam nicht _____*wegen*_____ sein*er*_____ Erkältung.
(wegen; jenseits)

1. Er wohnt _____ ein_____ Dorf_____ und konnte nicht sofort zum
Arzt.   (während; außerhalb)

2. Er hat sich erkältet, weil er _____ ein_____ Warnung_____ von seiner
Mutter ohne Mütze und Handschuhe Eishockey gespielt hat.   (trotz; oberhalb)

3. Natürlich hat er auch _____ d_____ Spiel_____ viel geschwitzt (*sweat*).
(statt; während)

4. Er hat auch danach eine Cola getrunken, _____ ein_____ Tasse_____ Tee.
(statt; wegen)

5. Der Spielplatz liegt _____ ein_____ Wald_____ und er musste die
ganze Strecke allein laufen.   (trotz; jenseits)

6. Obwohl er heute schon wieder in die Schule gehen wollte, blieb er _____

sein_____ Mutter_____ _____ zu Hause.   (um ... willen; [an]statt)

E. Ein Gespräch an der Uni. Setzen Sie die passenden Präpositionen und, wo nötig, Endungen ein.

BEISPIEL _____*Außer*_____ mein*em*_____ Deutschkurs_____ habe ich heute
keinen Unterricht.   (*besides*)

1. Wollen wir _____ mein_____ Bruder_____ einkaufen gehen?   (*with*)

2. Kauft er Essen _____ d_____ Fest_____ am Samstag ein?   (*for*)

3. Übrigens kann ich nicht _____ d_____ Mensa_____ mitkommen.
(*in*)

4. Warum nicht? Sie liegt direkt _____ d_____ Hörsaal_____.   (*behind*)

5. Ja, aber ich muss _____ d_____ Mittagspause_____ Milch holen.
(*during*)

6. Kannst du dich _____ ein_____ Mittagessen_____ konzentrieren?
(*without*)

7. Es gibt eine Bäckerei _____ d_____ Mensa_____.   (*across from*)

Copyright © Houghton Mifflin Company. All rights reserved.

F. Auf Deutsch! Übersetzen Sie die Sätze.

1. Our house is made of stone.

   _____

2. Do you (*formal*) need something to eat?

   _____

3. The boys are running along the fence (**der Zaun**).

   _____

4. My friend talks about his vacation.

   _____

5. According to my professor (*m.*), I will pass (**bestehen**) the course.

   _____

6. I usually (**gewöhnlich**) go home by train.

   _____

7. For all I care, you (*formal*) can forget it.

   _____

8. Do you (*fam. sing.*) read your book while eating?

   _____

9. We are meeting at Peter's today.

   _____

G. Wortschatz. Setzen Sie die richtige Form des passenden Verbs aus der Liste ein.

bekommen   erhalten   holen   kriegen

1. _____ mir doch bitte einen Kaffee!

2. Wir haben Ihre Bewerbung rechtzeitig _____.

3. _____ wir die Karten oder nicht?

4. Hast du meine E-Mail _____?

5. Sie hat den Nobelpreis _____.

6. Sie _____ sich Geld aus dem Bankautomaten.

7. Warum _____ er immer alles?

8. Er _____ ein neues Auto.

     Copyright © Houghton Mifflin Company. All rights reserved.

11

Conjunctions

A. Konjunktionen. Verbinden Sie die Sätze mit der angegebenen Konjunktion. Wiederholen Sie das Subjekt und das Verb nur, wenn nötig.

> **BEISPIEL** Hans wollte zuerst auf die Bank gehen. Hans wollte Geld holen. (und)
> *Hans wollte zuerst auf die Bank gehen und Geld holen.*

1. Gisela rief mich nicht an. Sie kam trotzdem vorbei. (*aber*)

   _____

2. Zahlen Sie mit Bargeld? Zahlen Sie mit Kreditkarte? (oder)

   _____

3. Das ist nicht Hochdeutsch. Das ist ein Dialekt. (sondern)

   _____

4. Elisabeth reiste mit dem Zug. Paulina reiste mit dem Bus. (und)

   _____

5. Ihr solltet mehr Deutsch sprechen. Ihr braucht Übung. (denn)

   _____

6. Er passte auf die Kinder auf. Sie lief zum Supermarkt. (und)

   _____

7. Wir haben keine Bananen. Hier sind hier drei Sorten Orangen. (aber)

   _____

8. Ich hatte kein Altbier bestellt. Ich hatte ein Pilsner bestellt. (sondern)

   _____

Copyright © Houghton Mifflin Company. All rights reserved.

B. Ein Hundeleben. Setzen Sie **als, wann** oder **wenn** ein.

> BEISPIEL _____ *Als* _____ unser Hund ins Haus kam, hatte er keinen Hunger.

1. Normalerweise merkt man schon, _____ er etwas fressen will.

2. Ich weiß nicht genau, _____ er zum ersten Mal so gebellt (*barked*) hat.

3. Vielleicht war es, _____ wir eine Katze gekauft haben.

4. _____ er glaubt, dass wir nicht genug Zeit für ihn haben, wird er traurig.

5. _____ ich ihn zum ersten Mal im Hundeheim (*dog kennel*) zurückließ, war ich sehr traurig.

6. _____ ich ihn das nächste Mal sehe, umarme (*hug*) ich ihn.

C. Der bellende Hund. Setzen Sie **aber** oder **sondern** ein.

> BEISPIEL Er fragt nicht leise, wenn er Hunger hat, _____ *sondern* _____ er bellt ganz laut.

1. Das stört uns schon, _____ was sollen wir denn machen?

2. Wir lieben ihn deswegen nicht weniger, _____ mehr.

3. Unsere Familie ist zwar nicht leiser geworden, _____ interessanter.

4. Das sagen wir unseren Freunden, _____ sie glauben es uns nicht.

5. Sie haben keine Haustiere, _____ Pflanzen.

D. Was passt? Setzen Sie die passende Konjunktion ein.

> BEISPIEL Es war, _____ *als ob* _____ alle Einwohner abgereist wären.   (als ob, falls)

1. _____ Sie mich brauchen, bin ich heute im Büro.   (obgleich, falls)

2. Sie drückte ihre Meinung aus (*expressed her opinion*), _____ sie nicht zur Demonstration kam.   (indem, sooft)

3. _____ du mir etwas versprichst, solltest du es dir gut überlegen.   (ehe, ob)

4. Man weiß eigentlich nie genau, _____ Matthias mitkommt.   (ob, weil)

5. _____ meine Mutter sich keine Sorgen macht, rufe ich sie an.   (sodass, damit)

6. _____ ihr keine Zeit habt, solltet ihr zur Vorlesung gehen.   (auch wenn, solange)

7. _____ ich den ganzen Nachmittag frei hatte, ging ich spazieren.   (bis, da)

8. _____ er mir noch Geld schuldet, rufe ich ihn jeden Tag an.   (solange, indem)

9. _____ sie mit den Reparaturen fertig sind, kann das Boot nicht tauchen.   (bevor, wenn)

10. _____ die Engländer sie gesehen haben, wissen sie erst heute Abend.   (wenn, ob)

   Copyright © Houghton Mifflin Company. All rights reserved.

E. **An der Uni.** Verbinden Sie die Sätze mit der passenden subordinierenden Konjunktion. Behalten Sie die Reihenfolge (*sequence*) der Sätze bei, damit einige Sätze mit dem Nebensatz anfangen.

BEISPIELE Das Semester war zu Ende. Ich hatte alle Bücher gelesen.   (bis, damit)
Bis das Semester zu Ende war, hatte ich alle Bücher gelesen.

Der Professor war sehr nett. Er war auch sehr streng.   (ehe, obgleich)
Der Professor war sehr nett, obgleich er auch sehr streng war.

1. Die Kurse haben mir Spaß gemacht. Sie waren alle sehr schwer.   (ob, obwohl)

_____

_____

2. Ich habe mein Referat gehalten. Ich hatte mehr Freizeit.   (falls, nachdem)

_____

3. Das Semester fing an. Wir hatten alle mehr Energie.   (da, als)

_____

4. Diese Stadt hat sich sehr verändert (*changed*). Ich studiere hier.   (seitdem, ehe)

_____

5. Die Cafés werden immer voller. Der Sommer beginnt.   (indem, sobald)

_____

6. Einige Studenten und Studentinnen sitzen stundenlang im Café. Sie hätten nichts Besseres zu tun.
(als ob, sodass)

_____

_____

7. Einige lernen fleißig. Andere genießen (*savor*) den Sommer.   (weil, während)

_____

_____

8. Ich bekomme gute Noten. Ich mache beides!   (bevor, damit)

_____

F. **Das misslungene Telefonat.** Beginnen Sie die Sätze wie angegeben.

BEISPIEL Wie groß ist die Stadt?   (Möchtest du nicht wissen ...)
Möchtest du nicht wissen, wie groß die Stadt ist?

1. Mit wem spreche ich?   (Nein, aber ich möchte wissen ...)

_____

2. Wie heißt du?   (Du willst also wissen ...)

_____

Copyright © Houghton Mifflin Company. All rights reserved.

3. Warum haben Sie mich angerufen?   (Ich weiß auch nicht ...)

_____

4. Wer bin ich?   (Du weißt doch ...)

_____

5. Wie unhöflich sind Sie?   (Nein, aber Sie zeigen mir ...)

_____

6. Warum willst du nicht mit mir sprechen?   (Sag mir doch ...)

_____

G. **Auf Deutsch!** Übersetzen Sie die Sätze mit passenden Konjunktionspaaren aus der Liste.

entweder ... oder   sowohl ... als auch
nicht nur ... sondern auch   weder ... noch

1. She doesn't have the time or the money to travel.

_____

2. Either she doesn't want to or can't.

_____

3. He plays classical music as well as jazz (**Jazz**).

_____

4. We can either go to the movies or to a pub (**die Kneipe**).

_____

5. One can meet interesting people not only at the movies but also in the pub.

_____

_____

6. The sailors are afraid of the enemy as well as the water.

_____

7. Either they hide (**sich verstecken**) from the destroyer or they attack it.

_____

8. The men are not just sailors (**matrosen**), they are fiancés (**Verlobte**), husbands (**Ehemänner**), and fathers.

_____

_____

   Copyright © Houghton Mifflin Company. All rights reserved.

H. Wortschatz. Setzen Sie die richtige Form des passenden Verbs ein.

denken	glauben	halten ... für	darüber ... nachdenken
denken ... an	glauben ... an	halten ... von	

1. _____ Sie _____ Ihre Kinder!

2. _____ sie (*sing.*) mich _____ blöd (*stupid*)?

3. Wor-_____ _____er überhaupt?

4. Sie will zuerst _____ _____, bevor sie sich entscheidet.

5. Was _____ du _____ seiner Idee?

6. Ich _____, es wird Zeit, dass wir gehen.

Copyright © Houghton Mifflin Company. All rights reserved.

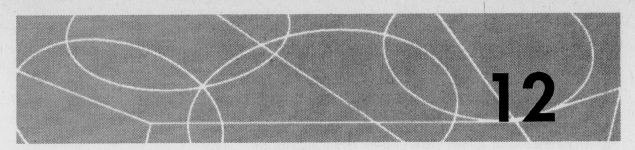

Noun Genders • Noun Plurals • Weak Nouns

A. Das Wort, die Wörter. Geben Sie für jedes Substantiv Genus und Plural an. Einige Substantive haben keinen Plural.

BEISPIEL _____die_____ Freundschaft; _____die Freundschaften_____

1. _____ Onkel; _____

2. _____ Sommer; _____

3. _____ Banane; _____

4. _____ Silber; _____

5. _____ Silberkette; _____

6. _____ Märchen; _____

7. _____ Nation; _____

8. _____ Lernen; _____

B. Der, die, das. Setzen Sie den richtigen Artikel ein.

BEISPIEL _____Die_____ Buchhandlung ist an der Ecke.

1. Wissen Sie, wo _____ Stadtzentrum liegt?

2. Nein, aber ich kann Ihnen sagen, wo _____ Kunstmuseum ist.

3. Ich danke Ihnen für _____ Hilfsbereitschaft (*eagerness to help*).

4. Vielleicht wissen es _____ Straßenarbeiter da drüben,

5. Ich muss _____ Jugendherberge (*youth hostel*) finden.

6. Dann erst kann ich _____ Gepäck loswerden (*get rid of*).

7. _____ Busfahrer wird den Weg dahin wohl kennen.

Copyright © Houghton Mifflin Company. All rights reserved.

C. Plural der Wörter. Antworten Sie im Plural.

> **BEISPIEL**   Hat die Familie einen Gärtner?   (drei)   *Die Familie hat drei Gärtner.*

1. Hat sie auch einen Papagei?   (vier)

   _____

2. Hast du schon ein Bild von ihrem Haus gesehen?   (viele)

   _____

3. Ich nehme also an (*assume*), dass sie mehr als ein Auto haben.   (drei)

   _____

4. Dann haben sie mehr als eine Garage.   (drei)

   _____

5. Wohnt eine Studentin in dem Haus?   (einige)

   _____

6. Hat die Familie auch einen Sohn?   (zwei)

   _____

D. Die richtige Form. Setzen Sie die richtige Substantivform ein.

> **BEISPIEL**   Meine Freundin hat einen _____*Griechen*_____ geheiratet.   (Grieche)

1. Er ist der Bruder von meinem _____.   (Kollege)
2. Sie ging gestern Abend mit dem _____ spazieren.   (Hund)
3. Finden Sie bitte die Telefonnummer des _____.   (Kunde)
4. Die Stadt erlebte einen Zustand (*condition*) des _____.   (Friede)
5. Sie ruft ihren _____ jeden Tag an.   (Sohn)
6. Er war gestern mit dem _____ hier..   (Polizist)
7. Haben Sie diesen _____ schon einmal gesehen?   (Mensch)
8. Fragen Sie doch den _____.   (Psychologe)
9. Was ist das Geburtsdatum ihres _____?   (Freund)
10. Wissen Sie, wo ich _____ Manske finden kann?   (Herr)
11. Von ganzem _____ möchte ich Ihnen gratulieren.   (Herz)
12. Mit festem _____ ist doch alles zu schaffen (*to be managed, achieved*).   (Wille)

E. Wortschatz. Ergänzen Sie die Sätze mit einem passenden Tier aus der Liste.

Eichhörnchen   **Enten**   **Frosch**   **Gänse**   **Kuh/Kühe**   **Maulwürfe**

1. An dem kleinen See im Stadtpark sieht man viele _____.
2. Die _____ machen unseren Rasen kaputt. _____
3. Eine _____ macht „muh", viele _____ machen Mühe.
4. Im Herbst verstecken die _____ ihre Eicheln (*acorns*) für den Winter.
5. Man sagt, dass man vom _____ Warzen (*warts*) kriegt, aber das stimmt nicht.

   Copyright © Houghton Mifflin Company. All rights reserved.

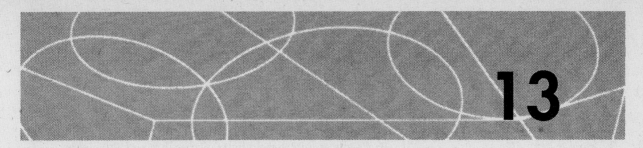

Adjectives

A. Ein Adjektiv, viele Endungen. Ergänzen Sie die fehlenden Adjektivendungen. Achten Sie auf die Artikel und die Fälle.

1. – Du hast aber ein schön_____ Haus.

2. Ich möchte auch in so einem schön_____ Haus wohnen.

3. War dieses schön_____ Haus denn teuer?

4. Schön_____ Häuser sind immer teuer.

5. Mein schön_____ Haus hat mich meine halb_____ Erbschaft gekostet.

6. Aber das schön_____ Haus da drüben ist nicht halb so teuer.

7. Dafür ist es aber auch lange nicht so schön_____ wie mein Haus.

B. Die richtige Endung. Setzen Sie die richtigen Endungen ein.

1. Der freundlich_____ Mann grüßt die nett_____ Frau.

2. Welchen blau_____ Mantel kauft das klein_____ Mädchen?

3. Mit diesem kaputt_____ Wagen wollt ihr durch das ganz_____ Land fahren?

4. Das riesig_____ (*huge*) Haus gehört jener alt_____ Dame?

5. Jede gut_____ Person hilft solchen krank_____ Menschen.

6. Diese laut_____ Kinder stören jene müd_____ Patienten.

7. Aus welchem fern_____ (*distant*) Ort kommt mancher reich_____ Prinz?

8. Außerhalb des ruhig_____ Dorfes fährt man mit diesem alt_____ Fahrrad.

9. Innerhalb der groß_____ Stadt läuft man wegen der eng_____ Straßen.

10. Während des heiß_____ Sommers schwimmen wir oft.

Copyright © Houghton Mifflin Company. All rights reserved.

C. Münchhausen im Schnee. Setzen Sie die Adjektive mit den richtigen Endungen ein.

BEISPIEL Der _____*abenteuerliche*_____ Herr Münchhausen wollte eine _____*lange*_____
Reise nach Russland machen. (*adventurous* = abenteuerlich; *long*)

1. Er wollte mitten im Winter reisen, um nicht in dem _____ Matsch (*mud*)
   stecken zu bleiben (*to get stuck*). (*wet*)

2. Das _____ Wetter in diesen _____ Teilen hat er aber
   vergessen. (*cold; northern* = nördlich)

3. Mit der _____ Jacke, die er mitgebracht hatte, war es ihm zu kalt. (*thin*)

4. Er musste wegen des _____ Wetters in einem Feld außerhalb des

   _____ Waldes anhalten. Das Feld war mit Schnee bedeckt (*covered*).
   (*bitterly cold; dark*)

5. Er band (*tied*) sein Ross (*steed*) an einer Baumspitze fest und schlief

   neben dem _____ Pferd ein. (*nervous*)

6. Während der _____ Nacht wurde

   es wärmer und der _____ Schnee

   schmolz (*melted*), bis das _____
   Dorf, das zugeschneit (*snowed over*) war, wieder erschien.
   (*long; deep; small*)

7. Als er aufwachte, hörte er das _____ Pferd wiehern (*whinnying*).
   Die Baumspitze, an der es festgebunden war, war keine Baumspitze, sondern ein Kirchturm
   (*church tower*)! (*frightened* = erschrocken)

8. Die _____ Einwohner sahen zu, als Münchhausen die

   _____ Leine (*leash*) entzweischoss (*shot in two*). (*amazed* = erstaunt; *thin*)

9. Er dankte den _____ Leuten für den _____ Beifall
   (*applause*). Die Beiden reisten dann weiter. (*nice, enthusiastic* = begeistert)

D. Die Erkältung. Setzen Sie die Adjektive in Klammern mit den richtigen Endungen ein.

BEISPIEL Mein _____*kleiner*_____ Bruder ging nach Hause. (*little*)

1. Sein _____ Freund Max musste auch nach Hause. (*best*)

2. Sie hatten beide eine _____ Erkältung. (*here: bad* = stark)

3. Für uns war das keine _____ Überraschung. (*big*)

4. Sie hatten am Wochenende draußen im Schnee hinter unserem _____ Haus
   gespielt. (*small*)

5. Natürlich hatten sie ihre _____ Mäntel vergessen. (*warm*)

6. Unsere _____ Schwester brachte ihnen ihre Mäntel, aber da war es schon
   zu spät. (*big*)

7. Ihre _____ Hemden waren schon ganz nass vom Schweiß (*sweat*). (*thin*)

   Copyright © Houghton Mifflin Company. All rights reserved.

8. Als sie dann wieder ins Haus kamen, wollten sie auch kein _____ Essen. (*warm*)

9. Sie liefen sofort zum Fernseher, um ihre _____ Lieblingssendung zu schauen. (*new*)

10. Das haben wir alles unserer Mutter erzählt, aber Max hat seiner _____ Mutter nichts gesagt. (*poor*)

11. So war es für sie schon eine Überraschung, als er mit einer _____ Erkältung nach Hause kam. (*bad*)

E. Münchhausen auf der Jagd. Setzen Sie die richtigen Endungen ein.

1. In Russland kaufte sich Münchhausen einen klein_____ Schlitten (*sled*).

2. In einem endlos_____ dunkl_____ Wald würde sein arm_____ Pferd unruhig (*restless*).

3. Ein groß_____ Wolf (*m.*) war hinter ihm.

4. Da er keine Zeit zum Überlegen hatte, konnte Münchhausen sein tapfer_____ (*valiant*) Pferd nicht retten (*save*), und es wurde von dem Wolf gefressen.

5. Die Leute in Sankt Petersburg sahen zum ersten Mal einen schnell_____ Schlitten, der von einem

   groß_____ bös_____ Wolf gezogen wurde.

6. Während einer kurz_____ Jagd (*f., hunt*) sah Münchhausen einige wild_____ Enten (*ducks*) an

   einem schön_____ ruhig_____ See.

7. Er wollte eine fett_____ Ente fangen (*catch*) und hatte eine gut_____ Idee. Er wollte sie mit einer

   lang_____ Schnur (*f., string*) fangen.

8. Er band ein klein_____ Stück (*n.*) Schinken an die Schnur und wartete. Als er die Ente gefangen hatte,

   kochte er ein lecker_____ Mittagessen.

F. Noch mehr Endungen. Setzen Sie die richtigen Endungen ein.

BEISPIEL Dieser Bursche hat besonders schön *e*_____ Augen.

1. Wirklich weis_____ Menschen sind selten.

2. Ich esse sehr gern frisch_____ Fisch (*m.*).

3. Bei kalt_____ Wetter soll man heiß_____ Schokolade trinken.

4. Warm_____ Bier schmeckt nicht.

5. Der Geruch (*smell*) roh_____ Fleisches (*n.*) macht ihn krank.

6. Heiß_____ Kaffee macht munter.

7. Ich habe kein Vertrauen zu (*dat.*) klug_____ Politikern.

8. Möchten Sie meine Sammlung alt_____ Bücher sehen?

9. Lehrer schreiben oft mit rot_____ Tinte.

Copyright © Houghton Mifflin Company. All rights reserved.

G. Weitere Abenteuer! Schreiben Sie die Sätze mit den richtigen Adjektivendungen.

BEISPIEL   Münchhausen traf einen Hirsch (*buck*) (stattlich- = *imposing*).
Münchhausen traf einen stattlichen Hirsch.

1. Er hatte keine Kugeln (*bullets*) (normal-), aber sein Kopf war voll Ideen (gut-)!

_____

_____

2. Er schoss den Hirsch (mutig- = *courageous*) mit einem Kirschkern (*cherry pit*) (trocken-, hart-), aber der Hirsch (stark-) lief davon.

_____

_____

3. Jahre später sah Münchhausen einen Hirsch (prächtig- = *magnificent*).

_____

4. Der Hirsch (schön-) hatte einen Kirschbaum (voll-) zwischen seinem Geweih (*antlers*) (groß-).

_____

5. Am Tag (nächst-) jagte Münchhausen einen Hasen (blitzschnell-) mit Beinen (lang-).

_____

6. Ein Hund (treu-) half dem Jäger (deutsch-) den Hasen (achtbeinig-) zu fangen.

_____

7. Der Baron aß Hasenfleisch (gebraten-) und Bohnen (grün-) zum Abendessen.

_____

_____

8. In der Woche (nächst-) traf der Mann (kühn- = *audacious*) einen Hund (toll = *here: crazy, rabid*), der Zähne (groß-) hatte, in einer Gasse (*alley*) (Petersburg-).

_____

9. Um dem Hund (verrückt-) zu entkommen (*escape*), warf der Münchhausen (ängstlich-) seinen Mantel (groß-) auf die Straße (dreckig- = *dirty*).

_____

_____

10. Und so wurde der Mantel (schön-) der Mantel (erst-), der Hundetollwut (*rabies*) bekam, und er fraß die Kleider (meist-) in Münchhausens Kleiderschrank.

_____

_____

_____

     Copyright © Houghton Mifflin Company. All rights reserved.

H. Auf Deutsch! Übersetzen Sie die Sätze.

1. The politician was proud of his many good ideas.

   _____

2. This lilac shirt (**das Hemd**) has a great collar (**der Kragen**).

   _____

3. I'm very enthusiastic about our new apartment.

   _____

4. Students travel through all of Europe.

   _____

5. We'll arrive in the Hamburg train station in a half-hour.

   _____

6. I have seen all of the United States (**die Vereinigten Staaten,** *pl.*).

   _____

7. My friend is angry at her older brother.

   _____

8. The tired soccer players want to drink good, cold German beer now.

   _____

I. Wer war Münchhausen? Setzen Sie die fehlenden Endungen ein.

1. Unterwegs nach Ägypten traf Münchhausen einig_____ interessant_____ Typen (*characters*) und

   nahm all_____ die nützlich_____ (*useful*) Menschen mit.

2. All_____ toll_____ (*here: fantastic*) Geschichten von Münchhausen erzählen von sein_____

   viel_____ unglaublich_____ Abenteuern (*experiences*).

3. Trotz sein_____ nur kurz_____ Schulzeit hatte er viel_____ gut_____ Ideen.

4. Das wenig_____ Geld, das er hatte, war genug, weil er viel_____ reich_____ Freunde hatte.

5. Er hatte nur wenig_____ Mühe (*f., difficulty*), mehrer_____ schön_____ Frauen zu gewinnen. Mit

   ander_____ Worten: er war ein Schürzenjäger (*lady's man*)!

6. Die viel_____ neidisch_____ (*jealous*) Männer dieser Frauen mochten ihn gar nicht! Mit viel_____

   Ärger haben sie ihre Frauen von ihm zurückgewonnen.

7. Er erlebte (*experienced*) nur ganz wenig_____ schlimm_____ Niederlagen (*defeats*), oder vielleicht

   hören wir nur von sein_____ viel_____ abenteuerlich_____ Erfolgen!

Copyright © Houghton Mifflin Company. All rights reserved.

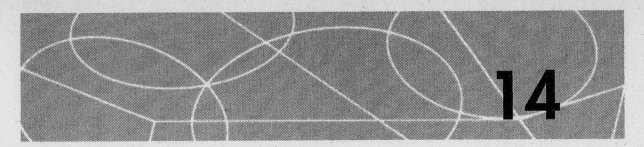

Comparative and Superlative

A. **Immer besser.** Bilden Sie Sätze mit dem Komparativ.

> **BEISPIEL**   Diese Nachbarschaft ist laut.   (*my dorm*)
> *Meine Wohnheim ist noch lauter.*

1. Meine Freundin schreibt oft.   (*your [sing. fam.] parents*)

   _____

2. Dirk kann gut schwimmen.   (*Martin*)

   _____

3. Der Winter in Karlsruhe ist kalt.   (*in Kiel*)

   _____

4. Mein Blutdruck (*blood pressure*) ist hoch.   (*you*)

   _____

5. Die Preise sind hier so günstig (*affordable*).   (*in the city*)

   _____

6. Nico isst Leberkäse (*a southern German specialty*) gern.   (*Lisa*)

   _____

7. Diesen Mantel finde ich schön.   (*this one here*)

   _____

8. Der Solist ist sehr gut.   (*the orchestra* = das Orchester)

   _____

9. Ihr Rock ist kurz.   (*my skirt*)

   _____

10. Die Mittagspause kann schon langweilig sein.   (*work*)

    _____

Copyright © Houghton Mifflin Company. All rights reserved.

B. Unterwegs in Europa. Beantworten Sie die Fragen mit dem Komparativ.

BEISPIEL   Wart ihr nur kurze Zeit in Europa?   (*longer period of time*)
            Nein, wir waren längere Zeit in Europa.

1. Habt ihr alles gesehen, was ihr sehen wolltet?   (*to need* [im Präteritum] / *more time*)

_____

2. Was empfehlt ihr meiner Kusine, die auch eine Europareise plant?   (*more quiet* = **die Ruhe** / *less traveling* = **das Herumreisen**)

_____

3. Was für Kleidung sollte man zu dieser Jahreszeit mitnehmen?   (*warmer clothes*)

_____

4. Wie viel soll man einpacken?   (*the less, the better*)

_____

5. Welche Städte gefielen euch am besten?   (*the more beautiful cities*)

_____

6. Mit wem seid ihr gereist?   (*our older children*)

_____

7. Mit welchem Zug seid ihr gefahren?   (*the faster train*)

_____

8. Was macht ihr nächstes Jahr?   (*to take / a longer vacation*)

_____

C. Auf Deutsch. Übersetzen Sie die Sätze.

1. Do they have as much homework as we do?

_____

2. Silke had less homework last night than we did.

_____

3. This course (**der Kurs**) is getting more and more difficult.

_____

4. Last semester (**das Semester**) it was just as hard as now.

_____

5. Was the professor (*m.*) as demanding (**anspruchsvoll**) as Professor Frank?

_____

6. Yes, but he was not quite as unfriendly as Professor Frank.

_____

   Copyright © Houghton Mifflin Company. All rights reserved.

D. Fragen. Beantworten Sie die Fragen mit ganzen Sätzen.

> **BEISPIEL**   Wie viele Stunden am Tag sollte man fernsehen?   (*the fewer the better*)
> *Je weniger Stunden man fernsieht, desto besser.*

1. Wie findet er die Landschaft (*landscape*) hier an der Elbe?   (*prettier than he thought* [im Präteritum])

   _____

2. Was für Gerichte (*dishes*) schmecken Ihnen?   (*the spicier* [**scharf**], *the better it tastes*)

   _____

3. Kann Jörg rudern (*row*)?   (*better than Florian*)

   _____

4. Macht er Fortschritte (*progress*)?   (*rows faster and faster*)

   _____

5. Wie gefällt dir das Buch?   (*The more I read it, the more I like it.*)

   _____

6. Wie viele Männer sprechen die Frau in Café an?   (*the more, the better*)

   _____

7. Machen sich ihre Eltern Sorgen?   (*the more she talks about the café*)

   _____

8. Gefällt ihr die Arbeit?   (*likes it less and less*)

   _____

E. Alles Superlativ! Schreiben Sie die folgenden Aussagen mit den Superlativformen um. Denken Sie dabei an die artikel dafür!

> **BEISPIEL**   Du erzählst witzige Geschichten.
> *Du erzählst die witzigsten Geschichten!*

1. Große Fische findet man in der See.

   _____

2. Für den Winter kaufte er sich einen warmen Mantel.

   _____

3. Montag war ein heißer Tag.

   _____

4. Auf dem Land sind die Nächte dunkel.

   _____

5. Susanne hat spannenden Nachrichten!

   _____

6. Markus hat gut gespielt.

   _____

Copyright © Houghton Mifflin Company. All rights reserved.

7. In der Schweiz sieht man schöne Berge.

_____

8. Sie trägt eine teure Armbanduhr.

_____

9. Wer von den Frauen im Café hat viele Freunde?

_____

10. Der Mann in der Ecke ist wohl interessant.

_____

F. Auf Deutsch. Übersetzen Sie die Sätze.

1. He has the most beautiful eyes of all.

_____

2. Do most Germans speak English?

_____

3. Who can sing the loudest?

_____

4. They find our answers highly questionable (**fragwürdig**).

_____

5. She drives fastest on the highway (**die Autobahn**) and slowest in the city.

_____

6. Do you (*formal*) see the somewhat older gentleman on the corner?

_____

7. Most of all he likes to go for a walk on the beach (**am Strand**).

_____

8. Marianne can throw the ball the farthest.

_____

G. Wortschatz. Vervollständigen Sie die Sätze mit dem passenden Wort aus der Liste.

Güte	**Höhen**	**Nähe**	**Tiefe**
Härte	**Kürze**	**Schwäche**	**Wärme**

1. Sie zeigte uns ihre _____, indem sie unsere Entschuldigung annahm (*accept*).

2. Ich wohne ganz in der _____ von der Arbeit und kann also zu Fuß gehen.

3. Die _____ hier im Süden tut mir sehr gut.

4. Er hat trotz seiner _____ gewonnen.

5. Die _____ von diesem See ist erstaunlich.

6. Ich habe Angst vor _____, deshalb bleibe ich lieber hier unten.

   Copyright © Houghton Mifflin Company. All rights reserved.

15

Questions and Interrogatives

A. **Wer? Was? Wo? Wann?** Stellen Sie Fragen zu den Sätzen.

> **BEISPIEL** Thomas ruft heute Abend **Peter** an.
> *Wen ruft Thomas (er) heute Abend an?*

1. Gabi schenkt **ihrer Kusine** eine CD.

   _____

2. Ich habe ihn gefragt, **ob er mitkommen wollte.** (*you formal*)

   _____

3. Wir haben **Jessicas** Sonnenbrille gefunden! (*you fam.*)

   _____

4. **Das Buch** liegt auf dem Regal.

   _____

5. Diese Armbanduhr gehörte **dem Verstorbenen.**

   _____

6. **Ein Mann** hat mich nach Hause gefahren. (*you fam.*)

   _____

7. Renate hat **den Polizisten** nicht gesehen.

   _____

8. Wissen die Eltern, dass **ihr Kind** das Geld gestohlen hat?

   _____

Copyright © Houghton Mifflin Company. All rights reserved.

B. Wie bitte? Bilden Sie Fragen mit **du.**

> BEISPIEL Ich schreibe **mit meinem neuen Kuli.**
> *Womit schreibst du?*

1. Ich möchte eine Postkarte **an meine Familie** schreiben.

   _____

2. Ich schreibe **witzige** Postkarten am liebsten.

   _____

3. Ohne **Briefmarken** kann ich die Postkarte aber nicht abschicken.

   _____

4. Auf **diesem** Postamt kaufe ich Briefmarken.

   _____

5. Ich warte erst **auf seine Antwort,** bevor ich ihm nochmal schreibe.

   _____

C. Sie sind aber neugierig! Vervollständigen Sie die Fragen mit **welch-** oder **was für (ein-).**

> BEISPIEL _____ *Welche* _____ Frau meinst du? – Ich meine die da.

1. _____ Fragen stellen die Studenten? – Sie stellen schwere Fragen.

2. Mit _____ Zug seid ihr gekommen? – Mit dem späten Zug.

3. Bei _____ Mannschaft spielt er? – Bei einer guten.

4. _____ Bücher haben Sie noch nicht gelesen? – Nur diese hier.

5. An _____ Freundin schreibst du? – An eine alte.

6. Für _____ Firma arbeitet er? – Für eine große amerikanische Firma.

7. _____ Haus kauft ihr? – Das schöne Haus an der Ecke.

8. _____ Geschäftsmann ist er? – Ein ehrlicher (*honest*).

   Copyright © Houghton Mifflin Company. All rights reserved.

D. Zuerst die Antwort. Bilden Sie Fragen mit einem passenden Adverb aus der Liste.

> **BEISPIEL** Ja, ich weiß, dass der nächste Bus **um eins** kommt. (*you formal*)
> *Wissen Sie, wann der nächste Bus kommt?*

wann	**wie**	**wie viele**	**wieso**	**woher**
warum	**woher**	**wie viel**	**wo**	**wohin**

1. Wir fahren **in die Türkei.** (*you fam.*)

   _____

2. Er kommt **aus den Vereinigten Staaten.**

   _____

3. Sie ist gekommen, **weil sie eingeladen wurde.**

   _____

4. Ich habe das Bild **mit Aquarellfarben** (*water colors*) gemalt. (*you fam.*)

   _____

5. Es gibt nur **drei** solche Schlangen (*snakes*) in diesem Park.

   _____

6. Den Autoschlüssel findest du **in deiner Tasche.**

   _____

7. Es geht uns **gut.**

   _____

8. Jon und Mario bezahlen **400,– Euro** Miete im Monat.

   _____

E. Indirekt gefragt. Ergänzen Sie die Sätze mit den Antworten aus Übung B.

> **BEISPIEL** Annette möchte wissen ...
> *Annette möchte wissen, womit du schreibst.*

1. Dirk hat gefragt, ... (Satz #1)

   _____

2. Jennifer will wissen, ... (Satz #2)

   _____

3. Britta möchte wissen, ... (Satz #3)

   _____

Copyright © Houghton Mifflin Company. All rights reserved.

4. Sebastian will nicht wissen, ...   (Satz #4)

_____

_____

5. Tanja hat gefragt, ...   (Satz #5)

_____

_____

6. Ich möchte wissen, ...   (Satz #6)

_____

_____

7. Wir wussten nicht, ...   (Satz #7)

_____

_____

8. Es war mir nicht klar, ...   (Satz #8)

_____

_____

F.   Auf Deutsch! Übersetzen Sie die Sätze.

1. Katharina asked me whether it will rain tomorrow.   (Perfekt)

_____

2. "You (*fam.*) don't like to go to the movies, do you?" "Oh yes, I do!"

_____

3. Who are the people next to you (*fam.*)?

_____

4. How many tests do you (*fam.*) have this week? And how much time do you have to study for (**lernen für**) them?

_____

_____

G.   Wortschatz. Vervollständigen Sie die Sätze mit dem passenden Wort aus der Liste.

anhalten	aufhören	stehen bleiben
aufhalten	halten	stoppen

1. Warum _____ Sie mich hier so lange _____?

2. Dieser Zug _____ in jedem kleinen Dorf _____.

3. Wir sind vorm Restaurant _____.

4. _____ du endlich _____ mit dem Lachen?

5. Mein Auto ist heute Morgen plötzlich _____.

6. Der Zollbeamte (*customs agent*) _____ ein paar Einreisende (*arriving passengers*), die aus dem Flugzeug kamen.

   Copyright © Houghton Mifflin Company. All rights reserved.

16

Personal, Indefinite, and Demonstrative Pronouns

A. Im Restaurant. Setzen Sie das passende Personalpronomen ein.

> **BEISPIEL** Gehen wir zum Restaurant an der Ecke. Wie heißt _____*es*_____ nochmal?

1. Ich glaube, _____ heißt „Zum Goldenen Lamm".

2. Ja, das stimmt! Anne hat mal dort gearbeitet. Ist _____ noch da?

3. Nein, _____ arbeitet jetzt in der Buchhandlung.

4. Hat es _____ im Restaurant nicht gefallen?

5. Ich glaube, der Rauch war zu viel für _____.

6. In der Buchhandlung darf _____ ja nicht rauchen.

7. Eben. Ach, da ist ja nur ein freier Tisch. Wollen wir _____ nehmen?

8. _____ steht aber so nah an der Tür!

9. Wo ist der Kellner? Vielleicht kann _____ _____ irgendwo anders hinschieben (*push*).

10. Entschuldigung, können _____ uns vielleicht helfen?

11. Hallo, Jens! _____ bist es! Hallo, Dagmar! Was braucht _____?

12. Hallo, Rüdiger! Kannst _____ diesen Tisch für uns weiter weg von der Tür schieben?

13. Ja, klar doch! Kein Problem! Wie geht's _____ denn?

B. Ein Salat. Beantworten Sie die Fragen mit dem passenden Pronomen.

> **BEISPIEL** Hast du die Tomate schon geschnitten (*cut*)? (nein / noch nicht)
> *Nein, ich habe sie noch nicht geschnitten.*

1. Wo hast du die Gurken (*cucumbers*) hingetan? (in den Kühlschrank)

   _____

2. Magst du grüne Paprikaschoten (*green peppers*) im Salat? (ja / gern essen)

   _____

3. Jetzt finde ich die Schüssel (*serving bowl*) nicht! (im Esszimmer / wohl / sein)

   _____

Copyright © Houghton Mifflin Company. All rights reserved.

4. Gibst du mir den Löffel?   (nicht haben)

_____

5. Ach! Nun brauche ich das Messer wieder!   (im Waschbecken [sink] liegen)

_____

6. Hoffentlich wird der Salat was!   (werden / allen schmecken)

_____

C. **Anders gesagt.** Schreiben Sie die Sätze um, indem Sie den fett gedruckten Satzteil mit dem Indefinitpronomen ersetzen.

> **BEISPIEL**   **Es soll** Gespenster (*ghosts*) in dem Haus geben.   (*one says*)
> *Man sagt, dass es Gespenster in dem Haus gibt.*

1. Die Verwaltung (*management*) sollte **uns** das sagen.   (*one*)

_____

2. **Alle Leute** wissen, was eigentlich passiert ist.   (*everyone*)

_____

3. **Ein unbekannter Mensch** hat ihr Blumen geschickt.   (*someone*)

_____

4. In der Fußgängerzone (*pedestrian zone*) **gibt es** schöne Cafés.   (*one finds*)

_____

5. Ich habe von **einem anderen Freund** gehört.   (*someone else*)

_____

6. Habt **ihr alle** die Hausaufgaben nicht gemacht?   (*no one*)

_____

7. **Eine Person, die** dich sehen wollte, kam gestern an die Tür (*someone who . . .*)

_____

D. **Neu eingezogen.** Setzen Sie die richtige Form des Indefinitpronomens ein.

> **BEISPIEL**   In dieser Stadt kennen wir _____ *niemand(en)* _____.   (*nobody*)

1. Es dauert eine Weile, bis _____ sich eingewöhnt (*settles in*).   (*one*)

2. _____ hat uns einen Stadtplan gegeben.   (*someone*)

3. Wir fragten _____, wo der Bus anhält.   (*someone else*)

4. _____ wollte wissen, woher wir kommen.   (*no one*)

5. Irgendwie weiß es schon _____.   (*everyone*)

6. Jeden Tag besucht uns _____.   (*someone else*)

7. Wir wissen nicht, ob uns _____ mag.   (*anyone*)

8. _____ redet mit uns.   (*nobody*)

   Copyright © Houghton Mifflin Company. All rights reserved.

E. Welche? Beantworten Sie die Fragen mit Demonstrativpronomen.

> **BEISPIEL** Mit welchem Motorrad sind Sie gefahren? (*this one* [*here*])
> *Ich bin mit dem hier gefahren.*

1. Welche Blume finden Sie schöner? (*these* [*here*])

   _____

2. Welchen Hut magst du lieber? (*that one* [*there*])

   _____

3. In welchen Cafés gibt es Maronischnitten (*chestnut pastries*)? (*those* [*there*])

   _____

4. Welches Bier schmeckt besser? (*this one* [*here*])

   _____

5. Auf welcher CD ist dieses Lied? (*this one* [*there*])

   _____

6. In welchem Restaurant hat sie gearbeitet? (*that one* [*there*])

   _____

F. Der Freundeskreis. Beantworten Sie die Fragen, indem Sie jeden Satz mit einem Demonstrativpronomen beginnen.

> **BEISPIEL** Siehst du Christian heute? (eben gerade [*just*] / sehen) (Perfekt)
> *Den habe ich eben gerade gesehen.*

1. War die Andrea auch dabei? (nicht dabei / sein) (Perfekt)

   _____

2. Hast du Steffi gesehen? (mit / gestern / einkaufen gehen) (Perfekt)

   _____

3. Und wo ist Dennis? (nicht mehr / an der Uni / sein) (Präsens)

   _____

4. Was hast du mit Christian gemacht? (mit / zur Vorlesung gehen) (Präteritum)

   _____

5. Und danach habt ihr Claudia und Anne getroffen? (mit / in der Bibliothek / lernen) (Perfekt)

   _____

6. War der Arne nicht dabei? (nein / arbeiten müssen) (Präteritum)

   _____

Copyright © Houghton Mifflin Company. All rights reserved.

G. Auf Deutsch. Übersetzen Sie die Sätze mit Demonstrativpronomen.

1. Lise and Georg play golf, too. I often play with them.

   _____

2. Tobias gave Hans his (Hans's) watch back.   (Präteritum)

   _____

3. Stefan is planning a party for Alexander in his (Alexander's) apartment.

   _____

4. David is making Claas a table in his (David's) garage.

   _____

5. Heike and Udo are swimming with friends in their (the friends') pool (**das Schwimmbecken**).

   _____

H. Immer dasselbe. Vervollständigen Sie die Sätze mit der richtigen Form von **derselb-**.

   BEISPIEL   Die Hühner und die Gänse (*geese*) laufen um _____*dasselbe*_____ Haus.

1. Die Schüler stellen immer wieder _____ Fragen.

2. Diese Krawatten passen beide zu _____ Hemd.

3. _____ Frau ist dreimal gekommen.

4. _____ Frau hat dreimal nach dir gefragt.

5. Wir lieben _____ Frau!

6. Wir waren Austauschschüler in _____ Stadt.

7. Jetzt studieren sie an _____ Uni!

I. Wortschatz. Vervollständigen Sie die Sätze mit einem passenden Wort aus der Liste.

   ein ander-   **erst**   **noch ein-**   **nur**

1. Dieser Wein schmeckt mir nicht. Bestellen wir doch _____.

2. Dieser Wein ist prima. Bestellen wir doch _____ Flasche!

3. Bis jetzt haben wir keine Zeit gehabt. Wir sind ja _____ heute Morgen angekommen!

4. Beeilt euch, ihr habt ja _____ bis heute Abend!

5. Dieses Hemd passt mir nicht. Hol' mir bitte _____.

6. Diese Erdbeeren schmecken lecker! Kaufen wir doch _____ Schachtel!

   Copyright © Houghton Mifflin Company. All rights reserved.

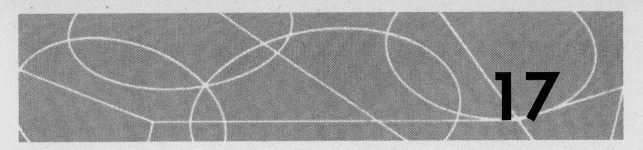

Reflexive Pronouns • *Selbst* and *selber* • *Einander*

A. Reflexivpronomen. Beantworten Sie die Fragen. Verwenden Sie die Reflexivform des Pronomens.

   BEISPIEL   Waschen Sie den Jungen?   (ich)   *Nein, ich wasche mich.*

1. Wäscht Michael seinen Hund?   (er)

   _____

2. Wen seht ihr auf dem Bild?   (wir)

   _____

3. Soll ich das Kind auf den Stuhl setzen?   (Sie)

   _____

4. Sollen wir uns umsehen?   (ihr)

   _____

5. Hast du den Kuchen geschnitten?   (ich)

   _____

6. Wer zieht Christina an?   (sie *sing.*)

   _____

7. Hast du ihn geärgert?   (ich)

   _____

8. Fürchten Sie sich vor Schlangen?   (ich)

B. Auf Deutsch. Übersetzen Sie die Sätze.

1. Even at home he wears a tie.

   _____

2. Astrid changed, but she didn't change her hairstyle (**die Frisur**).

   _____

   _____

Copyright © Houghton Mifflin Company. All rights reserved.

3. I would like to take a rest.

_____

4. Did you (*fam.*) catch a cold?

_____

5. We're hurrying!

_____

6. Please take a look at this book.   (*you formal*)

_____

7. Can we afford a new car?

_____

8. Did you write this paper (**die Arbeit**) yourself?   (*you fam.*)

_____

9. He will think it over.

_____

10. She can't remember my name.

_____

11. We should take note of his face (**das Gesicht**).

_____

C. Körperpflege. Schreiben Sie die Sätze um.

BEISPIEL   Ich ziehe mich an.   (die Hose)   *Ich ziehe mir die Hose an.*

1. Ich habe schon geputzt!   (die Zähne)

_____

2. Rasierst du dich jeden Tag?   (die Beine)

_____

3. Warum hast du dich ausgezogen?   (die Strümpfe)

_____

4. Schminken (*put on make-up*) Sie sich immer so?   (die Augen)

_____

5. Ich muss mich noch kämmen, bevor ich ausgehe.   (die Haare)

_____

6. Wir möchten uns waschen.   (die Hände)

_____

   Copyright © Houghton Mifflin Company. All rights reserved.

D. Mehr Reflexivpronomen. Vervollständigen Sie die Sätze mit einem Reflexivpronomen im Dativ oder Akkusativ. Nicht alle Sätze sind reflexiv; nicht alle Lücken (*blanks*) werden gefüllt.

> **BEISPIELE** Wir legen _____*uns*_____ auf unser Bett.
>
> Sie sehen _____ mich auf dem Bild.

1. Ihr habt _____ verlaufen.

2. Heute amüsiert _____ Jürgen.

3. Morgen langweilen wir _____.

4. Ich wasche _____ die Haare.

5. Wir haben _____ die Fenster geschlossen.

6. Hast du _____ den Arm gebrochen?

7. Die Welt dreht _____ um eine Achse (*axis*).

8. Ich habe es _____ noch mal überlegt!

E. Wortschatz. Vervollständigen Sie die Sätze.

beschließen	sich entscheiden für	sich entschließen
entscheiden	eine Entscheidung treffen	den/einen Entschluss fassen
sich entscheiden		

1. Ich kann _____ nicht _____, ob ich mitfahren soll oder nicht.

2. Nur der Schiedsrichter (*referee*) kann _____, ob das Tor gilt oder nicht.

3. Ich habe _____ eine neue Internetfirma zu gründen.

4. Sie hat _____ _____ den BMV _____.

5. Er hat _____ _____ _____ bis zu Weihnachten zehn Kilo abzunehmen.

6. Ich kann doch k-_____ _____ _____, bevor ich nicht genug Auskunft habe!

F. Auf Deutsch. Übersetzen Sie die Sätze. Verwenden Sie das Perfekt für die Sätze in der Vergangenheit.

1. I baked this cake myself!

   _____

2. Regina took off her coat by herself.

   _____

3. You (*formal*) are buying these rings (**der Ring, -e**) for each other?

   _____

Copyright © Houghton Mifflin Company. All rights reserved.

4. Even computers make mistakes (**der Fehler, -**)!

_____

5. We should talk with each other.

_____

6. Even in the library they laugh so loudly.

_____

G. Wortschatz. Übersetzen Sie den folgenden Abschnitt (_paragraph_) ins Präteriturn.

I was interested in music and wanted to apply for a position (**die Stelle**) in a music store (**der Musikladen**). My mother remembered a poster for a position, and my brother inquired about it. I thanked them for the information (**die Auskunft**). I looked forward to the interview (**das Interview**). But the bus didn't come and I had to walk. The man in the store complained that I was late (**sich verspäten**). He occupied himself with a customer (**der Kunde**) and ignored (**ignorieren**) me. I did not get the job. I got very upset about my bad luck (**das Pech**). One can't always rely on buses!

_____

_____

_____

_____

_____

_____

_____

_____

_____

_____

_____

 Copyright © Houghton Mifflin Company. All rights reserved.

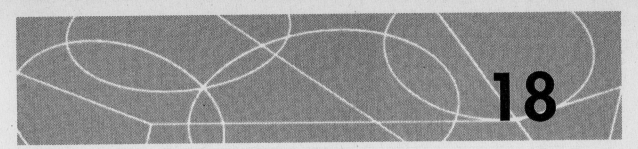

Infinitives

A. Der frustrierte Bäcker. Bilden Sie Sätze.

> **BEISPIEL**   Burkhardt / anfangen / gesünder essen   (Präteritum)
> *Burkhardt fing an gesünder zu essen.*

1. Burkhardt / haben / gestern / keine Zeit / in der Bäkerei einkaufen / gehen   (Präteritum)

   _____

2. Er / versuchen / selber / ein Brot / backen   (Perfekt)

   _____

3. Er / keine Lust haben / jemanden fragen   (Perfekt)

   _____

4. Burkhardt / vergessen / den Teig gehen lassen (*to let the dough rise*)   (Präteritum)

   _____

5. Morgen / Zeit nehmen / in der Bäkerei / einkaufen   (Futur)

   _____

6. Vorhaben / übermorgen / ein Kochbuch kaufen   (Präsens)

   _____

Copyright © Houghton Mifflin Company. All rights reserved.

B. Verwirrung im Klassenzimmer. Übersetzen Sie die Sätze.

BEISPIEL   Didn't the teacher (*m.*) tell you (*pl.*) what to do?
Hat euch der Lehrer nicht gesagt, was ihr tun sollt?

1. No, but Peter told me what to write.

   _____

2. Does he know what to do?

   _____

3. I'll tell you (*pl. fam.*) what to study for the test.

   _____

4. I don't know whom to believe (**glauben** + dat.)!

   _____

C. Der misslungene Besuch. Verbinden Sie die Sätze.

BEISPIEL   Ich belegte dieses Semester in Keil einen Kurs in Kunstgeschichte (*Art History*). Ich wollte
mehr über antike griechische Kunst lernen.   (um … zu)
*Ich belegte dieses Semester in Keil einen Kurs in Kunstgeschichte, um mehr über antike
griechische Kunst zu lernen.*

1. Ich habe mitgemacht. Ich habe mich aber nicht angemeldet (*registered*).   (ohne … zu)

   _____

   _____

2. Der Kurs gefiel mir so sehr, dass ich jeden Abend Kunstgeschichte gelesen habe. Ich habe meine anderen
Hausaufgaben nicht gemacht.   (anstatt … zu)

   _____

   _____

3. In den Ferien bin ich sogar nach München gefahren. Ich wollte mir die Glyptothek (*museum of ancient
Greek art*) ansehen.   (um … zu)

   _____

   _____

4. Meine Eltern fuhren in den Ferien nach Kiel. Sie wollten mich an der Uni besuchen.   (um … zu)

   _____

   _____

5. Sie kamen am zweiten Tag der Ferien an. Sie riefen mich vorher nicht an.   (ohne … zu)

   _____

   _____

6. Sie sind die ganze Strecke (*the entire way*) gefahren. Sie haben nur eine leere (*empty*) Wohnung
vorgefunden.   (um … zu)

   _____

   _____

   Copyright © Houghton Mifflin Company. All rights reserved.

D. Anders gesagt. Schreiben Sie die Sätze um.

> **BEISPIEL**   Wir sprechen jeden Tag während des Unterrichts.   (sie *sing.* / hören: Präsens)
> *Sie hört uns jeden Tag während des Unterrichts sprechen.*

1. Das Kind weinte sehr laut.   (ich / hören: Präteritum)

   _____

2. Die junge Frau hat den Tauben Torte gefüttert.   (die Bürgermeisterin = *female mayor* / sehen:
   Präteritum)

   _____

3. Andreas repariert sein Auto.   (lassen: Präsens)

   _____

4. Die Temperatur im Zimmer stieg.   (die diskutierenden Leute / spüren: Präteritum)

   _____

5. Er spielt jeden Abend Klavier.   (sie *sing.* / hören: Präsens)

   _____

6. Sie steigt allein ins Flugzeug ein.   (er / sehen: Präteritum)

   _____

7. Sie entkam dem Krieg.   (er / helfen: Präteritum)

   _____

E. Der Augenzeuge. Übersetzen Sie die Sätze.

> **BEISPIELE**   I saw you smoking (**rauchen**) yesterday!   (Präteritum + Infinitiv)
> *Ich sah dich gestern rauchen!*
>
> I heard you laughing! (Präteritum + Nebensatz im Perfekt)
> *Ich hörte, wie du gelacht hast!*

1. She felt the water rise (**steigen**).   (Präteritum + Infinitiv)

   _____

2. We hear children singing.   (Präsens + Infinitiv)

   _____

3. He saw the plane take off (**abheben**).   (Präteritum + Nebensatz im Präteritum)

   _____

4. Do you (*formal*) see the trains arrive?   (Präsens + Nebensatz im Präsens)

   _____

5. Rick watched as the Bulgarian won the roulette game.   (Präteritum + Nebensatz im Präteritum)

   _____

Copyright © Houghton Mifflin Company. All rights reserved.

F. Beim Friseur. Schreiben Sie die Sätze ins Perfekt um, ohne das Partizip zu bilden.

> **BEISPIELE** Ich lasse mir die Haare färben.   *Ich habe mir die Haare färben lassen.*
> Gabi hat gesehen, wie ich die Farbe auswählte.   *Gabi hat mich die Farbe auswählen sehen.*

1. Siehst du diese Änderung nicht kommen?

   _____

2. Viele junge Leute ließen sich die Haare färben. Lieb mich auch dazu überreden.

   _____

3. Ich war an dem Tag sehr müde, weil mein Freund mich am Abend zuvor auf ihn warten ließ.

   _____

4. Der Friseur hat gehört, wie ich schnarchte (*snored*).

   _____

G. Der Besuch. Schreiben Sie die Sätze ins Futur um.

> **BEISPIEL** Meine Freundin kommt mich besuchen.
> *Meine Freundin wird mich besuchen kommen.*

1. Ich höre sie auf dem Bahnhof meinen Namen rufen.

   _____

2. Sie glaubt, dass sie schreien muss.

   _____

3. Dann sieht sie mich endlich am Taxistand warten.

   _____

4. Die Leute sehen uns reden und lachen.

   _____

5. Dann höre ich sie die Geschichte von ihrer Reise erzählen.

   _____

H. Wortschatz. Setzen Sie die richtige Form des passenden Verbs ein.

> **BEISPIEL** Stefanie ist für eine halbe Stunde _____*weggegangen*_____. (verlassen / weggehen)

1. _____ Sie mich nicht! (lassen / verlassen)
2. Ich habe meinen Geldbeutel im Restaurant _____ (lassen / verlassen)
3. Man soll seinen Hund nicht allein im Auto _____. (lassen / verlassen)
4. Die Kinder sind vom Spielplatz _____. (verlassen / weggehen)
5. Die Kinder haben den Spielplatz _____. (verlassen / weggehen)
6. Die Kinder haben ihre Mäntel auf dem Spielplatz _____. (lassen / verlassen)
7. Sie wollte mit ihm _____. (verlassen / weggehen)
8. Zum Schluss hat sie ihn doch _____. (verlassen / lassen)

 Copyright © Houghton Mifflin Company. All rights reserved.

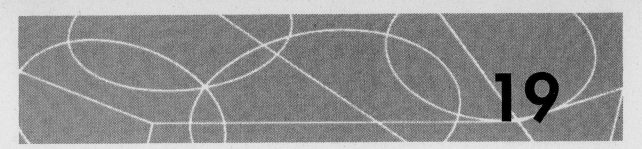

Da-Compounds • Uses of *es*

A. **Geantwortet!** Beantworten Sie die Fragen. Wenn möglich, ersetzen Sie die fett gedruckten Satzteile durch **da-** Konstruktionen.

> **BEISPIEL**   Denkt sie **an Richard?**   (ja / immer)   *Ja, sie denkt immer an ihn.*
>   Denkt sie **an die Prüfung?**   (ja / immer)   *Ja, sie denkt immer daran.*

1. Was halten Sie **vom Fernsehen?**   (nicht viel)

   _____

2. Erzählt der Professor **von seinen vielen Afrikareisen?**   (jeden Tag)

   _____

3. Willst du wissen, was man **mit dieser Maschine** macht?   (nein / schon wissen)

   _____

4. Wie oft schreibt ihr **an eure Freundinnen?**   (zweimal die Woche)

   _____

5. Warum versteht Willi einfach nicht, was man **gegen den Kapitalismus** haben kann?   (weil / er / nichts ... haben)

   _____

6. Hast du wirklich eine Verabredung (*date*) **mit Helena?**   (natürlich)

   _____

7. Wohin gehen wir **nach dem Film?**   (in eine Kneipe)

   _____

8. Ärgert er sich **über seine schlechte Note?**   (ja / seit zwei Tagen)

   _____

9. Trinkst du wirklich Kaffee **ohne Zucker?**   (ja, meistens)

   _____

10. Möchtet ihr hören, **wie ich das Spiel gestern gewonnen habe?**   (nein / schon hören)

    _____

Copyright © Houghton Mifflin Company. All rights reserved.

B. Anders gesagt. Schreiben Sie die Sätze mit **da-** Konstruktionen um.

BEISPIEL   Kinder haben manchmal Angst vorm Alleinsein.   (allein sein)
Kinder haben manchmal Angst davor, allein zu sein.

1. Britta träumt immer vom Reichtum (*riches*).   (reich sein)

   _____

2. Meine Schwester ärgert sich über mein schlechtes Benehmen (*behavior*).   (dass / sich schlecht benehmen)

   _____

3. Sie warnt uns vorm Trinken.   (zu viel trinken)

   _____

4. Frau Schnittler erzählt uns immer von ihrer Liebe zu Tieren.   (wie / Tiere lieben)

   _____

5. Diese netten Leute sorgen für dein Wohlsein.   (dass / gut gehen)

   _____

6. Die Frau hat ihn zum Verkauf seiner letzten Karte überredet.   (verkaufen)

   _____

   _____

7. Ich bin von deiner Hilfsbereitschaft ausgegangen.   (dass / bereit sein zu helfen)

   _____

8. Sie freuen sich bestimmt auf unseren Besuch.   (dass / bald besuchen)

   _____

C. Was gibt's? Beantworten Sie die Fragen. Verwenden Sie dazu folgende **es**-Ausdrücke.

   a. *impersonal* **es**   b. **es gibt**   c. *introductory* **es**

BEISPIELE   Wie ist das Wetter in Hamburg gewesen?   (a. immer regnen)
Es hat immer geregnet.

Wo findet man ein chinesisches Restaurant?   (b. in der Altstadt)
Es gibt ein chinesisches Restaurant in der Altstadt.

Haben wir Post bekommen?   (c. zwei Pakete / kommen)
Es sind zwei Pakete gekommen.

1. Warum kauft ihr keine Ananas (*pineapple*)?   (b. zu dieser Jahreszeit / keine)

   _____

2. Wie spät haben wir denn?   (a. kurz nach zwei)

   _____

3. Wie fühlt er sich?   (a. zur Zeit / gut gehen)

   _____

    Copyright © Houghton Mifflin Company. All rights reserved.

4. Sind schon Gäste gekommen?   (c. schon drei / kommen [im Perfekt])

_____

5. Spricht die Politikerin mit allen Einwohnern (*residents*)?   (b. Nein / zu viele)

_____

6. Was hast du dazu zu sagen?   (a. Leid tun)

_____

7. Warum zieht sie sich einen Pullover an?   (a. zu kalt sein)

_____

D. Anders gesagt. Schreiben Sie die Sätze mit passenden **es**-Ausdrücken um.

BEISPIEL   Dein Lachen freut mich.   *Es freut mich, dass du lachst.*

1. Mein Basketballtrainer findet Sport wichtig.   (man / Sport treiben)

_____

2. Deutschsprechen macht meinem Bruder Spaß.   (inf with **zu**)

_____

3. Dass einige Studentinnen und Studenten nicht stillsitzen können, ärgert ihn.

_____

_____

4. Unser Mitmachen (*participating*) hat alle Anwesenden (*those present*) gefreut.

_____

_____

5. Geschirr spülen (*washing dishes*) macht ihr keinen Spaß.   (inf. with **zu**)

_____

6. Zwei Männer stehen an der Ecke vor deinem Haus.

_____

7. Viele Leute glauben, dass unsere Regierung (*government*) oft nicht die Wahrheit sagt.

_____

_____

8. Jemand klopft an die Tür.

_____

Copyright © Houghton Mifflin Company. All rights reserved.

E. Auf Deutsch. Übersetzen Sie die Sätze mit Ausdrüchen aus dem **Wortschatz.**

1. We are dealing with a crisis here.

   _____

2. What was the movie about?

   _____

3. What's the issue?

   _____

4. It's a question of who has more money.

   _____

5. The novel (**der Roman**) is about family.

   _____

6. We are talking about whether or not we should go.

   _____

F. Worüber/Worauf/Wovor? Bilden Sie Sätze. Verwenden Sie **da**-Konstruktionen wenn möglich.

BEISPIELE   Sie (*sing.*) / sich ärgern über / die Verspätung   (Präsens)
Sie ärgert sich über die Verspätung.

Sie (*sing.*) / sich ärgern über // er / sich verspäten   (Perfekt)
Sie hat sich darüber geärgert, dass er sich verspätet hat.

1. Er / Spinnen (*spiders*) / Angst haben vor.   (Präsens)

   _____

2. Er / Angst haben vor // Spinnen / ins Bett kriechen   (Präsens)

   _____

3. Ich / sich vorbereiten auf / die Klausur   (Präsens)

   _____

4. Ich / sich vorbereiten auf // die Klausur / schreiben   (Präsens)

   _____

   Copyright © Houghton Mifflin Company. All rights reserved.

20

Subjunctive (Subjunctive II)

A. Übung. Bilden Sie für jedes Verb (a) das Präteritum und (b) den zweiten Konjunktiv.

> **BEISPIEL** kommen (ich, er) a. ich kam, er kam b. ich käme, er käme

1. wissen (wir, du) a. _____

   b. _____

2. leben (ihr, Sie) a. _____

   b. _____

3. haben (sie *sing.*, du) a. _____

   b. _____

4. tun (sie *pl.*, ich) a. _____

   b. _____

5. gehen (du, ihr) a. _____

   b. _____

6. sein (ich, wir) a. _____

   b. _____

7. kosten (es, sie *pl.*) a. _____

   b. _____

8. werden (ich, er) a. _____

   b. _____

B. In den Semesterferien. Schreiben Sie die Sätze in den zweiten Konjunktiv um.

> **BEISPIEL** Wenn das Semester vorbei ist, ...
> *Wenn das Semester (nur schon) vorbei wäre, ...*

1. ... dann müssen wir nicht so viel lernen.

   _____

2. Ich kann in Urlaub fahren.

   _____

Copyright © Houghton Mifflin Company. All rights reserved.

3. Meine Freundin darf mitfahren.

_____

4. Du wirst mir jeden Tag eine Postkarte schreiben.

_____

5. Ihr wollt mit uns wandern gehen.

_____

6. Stefan kann ein Boot mieten und angeln (*fish*).

_____

7. Kirsten wird nicht arbeiten.

_____

8. Ich kann endlich ausschlafen!

_____

C. Die langsame Bedienung (*service*). Schreiben Sie die Sätze um; verwenden Sie die richtige Form von **würde** + Infinitiv.

> **BEISPIEL** Wenn wir den ganzen Nachmittag hier sitzen, kommen wir zu spät.
> *Wenn wir den ganzen Nachmittag hier sitzen würden, würden wir zu spät kommen.*

1. Vielleicht helfen uns die Anderen, wenn wir schreien.

_____

2. Wenn ich diesen Teller auf den Boden werfe, kommt gewiss der Kellner.

_____

3. Kauft ihr dieses Restaurant, wenn ihr die Lotterie gewinnt?

_____

4. Nein, wir beginnen unsere Weltreise.

_____

5. Ach, wenn Sabine nur ein anderes Restaurant empfiehlt!

_____

6. Aber gehst du dahin, ohne es zu kennen?

_____

7. Ich gehe bestimmt dahin, wenn die Bedienung schneller ist!

_____

  Copyright © Houghton Mifflin Company. All rights reserved.

D. Auf Deutsch. Übersetzen Sie die Sätze.

1. If only the rain would stop (**aufhören**)!

   _____

2. Would you (*formal*) please repeat the last sentence?

   _____

3. We would like two sodas.

   _____

4. Would it be possible to use your (*formal*) restroom (**die Toilette**)?

   _____

5. Could you (*formal*) please tell me what time it is?

   _____

E. Wenn das Wörtchen *wenn* nicht wär' ... Reagieren Sie auf die folgenden Situationen.

> **BEISPIEL** Ihre Gäste beklagen sich (*complain*), dass sie Hunger haben. (wenn / ich / mehr Essen / kaufen)
> *Wenn ich (nur) mehr Essen gekauft hätte!*

1. Britta ist mit zwanzig Stunden Verspätung (*delay*) angekommen. (wenn / sie *sing.* / mit der Lufthansa fliegen)

   _____

2. Sie haben sich in Spanien verfahren (*got lost*). (wenn / ich / Spanisch lernen)

   _____

3. Sie haben kein Geld für eine Reise. (wenn / wir / mehr sparen [*save*])

   _____

4. Hans verpasste den Bus am Morgen der Prüfung. (wenn / er / früher aufstehen)

   _____

5. Monika kann sich diese Wohnung nicht leisten. (wenn / sie / während der Ferien arbeiten)

   _____

Copyright © Houghton Mifflin Company. All rights reserved.

F. **... wären wir alle Millionär!** Schreiben Sie die Folgen (*consequences*) Ihrer Antworten von Übung E.

> **BEISPIEL** (die Gäste / jetzt / satt [*full*] sein) ... (wenn / ich / mehr Essen kaufen)
> *Die Gäste wären jetzt satt, wenn ich mehr Essen gekauft hätte.*

1. (wir / jetzt schon / zu Hause sein) ... (wenn / Britta / mit der Lufthansa fliegen)

   _____

2. (ich / jetzt / schon in Madrid sein) ... (wenn / ich / Spanisch lernen)

   _____

3. (wir / jetzt / nach Griechenland fahren können) ... (wenn / wir / mehr sparen)

   _____

4. (Hans / jetzt / nicht traurig sein) ... (wenn / er / früher aufstehen)

   _____

5. (Monika / jetzt / ganz nah an der Uni wohnen) ... (wenn / sie / während der Ferien arbeiten)

   _____

G. **Oder vielleicht auch nicht.** Schreiben Sie weitere Folgen Ihrer Antworten in Übung E.

> **BEISPIEL** (wenn / die Gäste / mehr Essen) ... (sie / sich nicht beklagen)
> *Wenn die Gäste mehr gegessen hätten, (dann) hätten sie sich nicht beklagt.*

1. (wenn / Britta / nicht so spät ankommen) ... (ich / sie / vom Flughafen abholen)

   _____

2. (wenn / ich / nicht so oft fehlen [*be absent*]) ... (meine Spanisch-Noten / besser sein)

   _____

3. (wenn / wir / das neue Auto / nicht kaufen) ... (wir / Geld / für eine Reise haben)

   _____

4. (wenn / Hans / nicht auf das Fest gehen) ... (er / mehr schlafen)

   _____

5. (wenn / Monika / auf das Praktikum bei Bosch verzichten [*to turn down*]) ... (sie / als Kellnerin arbeiten können)

   _____

H. **Wortschatz.** Vervollständigen Sie die Sätze mit einem passenden Verb aus der Liste.

sich aufführen   **sich benehmen**   **handeln**   **tun**   **sich verhalten**

1. _____ dich nicht so unmöglich _____ !

2. Wenn sie so müde ist, kann sich meine kleine Schwester nicht gut _____ .

3. Dirk _____ so, als ob er immer Recht hat.

4. Wir können nicht _____, bevor wir seine Antwort hören.

5. Wie _____ er sich normalerweise in solchen Situationen?

6. Ihr solltet euch bei Oma gut _____ .

    Copyright © Houghton Mifflin Company. All rights reserved.

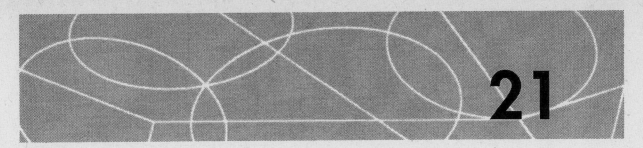

Adjective Nouns • Participial Modifiers

A. **Wer? Wen? Wem?** Beantworten Sie die Fragen mit Adjektivsubstantiven. Antworten Sie: a. mit bestimmtem und b. mit unbestimmtem Artikel. Beachten Sie die Präpositionen.

> **BEISPIEL**   An wen sollte er seine Fragen richten (*direct*)?   (fremd, *f.*)
> a. *An die Fremde.*   b. *An eine Fremde.*

1. Wem möchten Sie helfen?   (arbeitslos, *m.*)

   a. _____   b. _____

2. Wer hat Ihnen dieses Formular gegeben?   (angestellt, *m.*)

   a. _____   b. _____

3. Wer spielte mit im Theaterstück?   (taub = *deaf, f.*)

   a. _____   b. _____

4. Mit wem hat sie gesprochen?   (wahnsinnig = *insane, m.*)

   a. _____   b. _____

5. Von wem erzählte sie wem?   (reisend, *m.*; bekannt, *f.*)

   a. _____

   b. _____

6. Wessen Haus ist das?   (verwandt, *pl.*) (Verwenden Sie „mein-" für Teil b.)

   a. Das ist das Haus _____

   b. Das ist das Haus _____

7. Wem verdankt er sein Essen?   (verwandt, *pl.*) (Verwenden Sie „mein-" für Teil b.)

   a. _____   b. _____

Copyright © Houghton Mifflin Company. All rights reserved.

B. Auf Deutsch. Übersetzen Sie die Sätze. Wenn möglich, verwenden Sie Adjektivsubstantive.

1. Few grown-ups come to (**zu**) these parties.

   _____

2. We're helping strangers.

   _____

3. Did you (*formal*) see the German woman?

   _____

4. My fiancé (*m.*) is leaving me (**verlassen**) for (*here:* **wegen**) another woman.

   _____

C. Anders gesagt. Schreiben Sie die Sätze um.

   BEISPIEL   Claudia will nur die besten Sachen im Leben haben.
             Claudia will nur das Beste im Leben haben.

1. Mephisto will böse Taten (*deeds*) tun, aber er schafft (*here: to bring about*) immer gute Sachen

   _____

2. Heute hat Hans-Josef schlechte Nachrichten gehört.   (etwas)

   _____

3. Die Kinder haben besondere Dinge für den Abend vor.

   _____

4. Nun haben wir schon alles gelesen, was an diesem Kurs interessant ist.

   _____

5. Nach einer Reise hat man immer viele neue Geschichten zu erzählen.

   _____

6. In der Zeitung hat es nur wenige wichtige Berichte gegeben.

   _____

7. Irene brachte ein leckeres Gericht (*dish*) zum Fest.   (etwas)

   _____

8. Er will dem Prokuristen nichts sagen, was falsch ist.

   _____

9. Die Verwandlung ist etwas, was ihn verwirrt.

   _____

   Copyright © Houghton Mifflin Company. All rights reserved.

D. Der Alltag. Schreiben Sie die Sätze mit Partizipialkonstruktionen um.

> **BEISPIEL** Zum Frühstück esse ich Eier.   (kochen)
> *Zum Frühstück esse ich gekochte Eier.*

1. Dann ziehe ich mir ein Hemd an.   (bügeln)

   _____

2. Dann füttere ich meinen Hund.   (verwöhnen)

   _____

3. Dann fahre ich mit meinem Fahrrad an die Uni.   (reparieren)

   _____

4. Dem Professor gebe ich meine Hausaufgaben.   (fertig schreiben)

   _____

5. Zu Mittag esse ich mein Brot.   (einpacken)

   _____

6. Am Abend esse ich ein Gericht (*dish*).   (selbst machen)

   _____

7. Danach sammele ich meine Wäsche ein.   (herumliegen)

   _____

8. Endlich falle ich in mein Bett.   (frisch beziehen = *change sheets*)

   _____

E. Literarisches. Verbinden Sie die Sätze, indem Sie erweiterte Partizipialkonstruktionen verwenden.

> **BEISPIEL** Der blinde Professor kann die Texte schneller verstehen, wenn sein Assistent sie vorliest.
> *Der blinde Professor kann schneller die von seinem Assistenten vorgelesenen Texte verstehen.*

1. Edgar Wibeau genoss (*enjoyed*) das Buch. Goethe hat das Buch vor 200 Jahren geschrieben.

   _____

   _____

2. Tristan verliebte sich in Isolde. Isolde war mit seinem König Marke verlobt.

   _____

   _____

3. Wir ehren (*honor*) den Dichter Thomas Mann auf diesem Fest. Er wurde 1875 in Lübeck geboren und emigrierte 1933 in die Schweiz.

   _____

   _____

Copyright © Houghton Mifflin Company. All rights reserved.   Aufgaben zur Struktur ▓ 21   **149**

F. Diesmal auf Englisch! Übersetzen Sie die Sätze.

1. „Die meisten der durch das Buch geknüpften (*here: made*) Kontakte werden diese Arbeit sicherlich (*surely*) überleben (*survive*)." [Alice Schwarzer: „Der kleine Unterschied"]

_____

_____

2. „Der Hut hing ihr an seinen zusammengeknüpften Bändern (*knotted strings*) über dem einen Arm." [Thomas Mann: „Tonio Kröger"]

_____

_____

3. „[...] die große von gefärbtem Glas gearbeitete Rose in der Kirche [...] glühte (*glowed*), [...]" [Heinrich von Kleist: „Das Erdbeben in Chili"]

_____

_____

4. „Aber am Tag spielte sie auf dem Tisch, auf den die Frau einen mit Wasser gefüllten und mit Blumen bekränzten (*garnished*) Teller gestellt hatte." [Hans Christian Andersen: „Däumelinchen"]

_____

_____

G. Wortschatz. Setzen Sie die richtige Form des passenden Verbs aus der Liste ein. Nicht alle Verben passen und manchmal passt auch mehr als ein Verb aus der Liste.

entdecken   erfahren   feststellen   herausfinden   lernen

1. Wir haben aus den Nachrichten von dem Brand _____.

2. Man hat zuerst gedacht, dass das Haus leer war, aber leider hat die Feuerwehr im Haus zwei Tote

   _____.

3. Man _____, dass der Brand angezündet worden war.   (Präteritum)

4. Die Polizei muss aber noch _____, wer es getan hat.

   Copyright © Houghton Mifflin Company. All rights reserved.

22

Numerals and Measurements

A. Grundzahlen. Schreiben Sie die Zahlen in Worten aus, so wie man sie liest.

    BEISPIEL   534 *fünfhundertvierunddreißig*

1. 2 000 000 672 _____

2. 17 003 008 _____

3. 99,44% _____

4. 333 ÷ 3 = 111 _____

5. 60er, 70er und 80er Jahre _____

6. $2^3 = 8$ _____

7. 5 × 6 = 30 _____

8. 500 Bücher _____

B. Ordnungszahlen. Beantworten Sie die Fragen mit Sätzen, in denen die Zahlen ausgeschrieben sind.

    BEISPIEL   Wann feiert man in Deutschland den Tag der Arbeit?   (am 1. Mai)
                    Am ersten Mai feiert man (in Deutschland) den Tag der Arbeit.

1. Der Wievielte ist heute?   (der 8. Februar)

   _____

2. Mit welcher Ausgabe (*edition*) habt ihr gearbeitet?   (mit der 9.)

   _____

3. Wie oft haben Sie diesen Film schon gesehen?   (zum 34. Mal)

   _____

4. Das ist das Schloss von Ludwig dem wievielten?   (dem 14.)

   _____

5. Zum wievielten Geburtstag gratulieren wir ihm?   (zum 73.)

   _____

6. In welche Straße sollte ich abbiegen (*turn off into*)?   (du; in die 2. Straße rechts)

   _____

Copyright © Houghton Mifflin Company. All rights reserved.

C. Am Bodensee. Übersetzen Sie die Sätze. Verwenden Sie Zahlwörter.

1. There were many reasons (**der Grund, -e**) to go to Lake Constance (**der Bodensee**): first of all, it is close (**nah**), second of all it is beautiful, and thirdly I hadn't seen it yet!

   _____

   _____

   _____

2. Lake Constance is approximately 46 kilometers long, and its surface area (**die Oberfläche**) is about 540 square kilometers.

   _____

3. The city of Lindau has approximately 24,000 [*in numbers*] residents (**die Einwohner**).

   _____

4. Floral Island (**die Blumeninsel**) Mainau is a unique (**einmaliges**) experience (**das Erlebnis**) with its thousands of kinds of flowers.

   _____

   _____

D. Der Fehler. Setzen Sie den deutschen Ausdruck ein. Verwenden Sie Zahlwörter.

BEISPIEL   Ich bin jetzt zum _____ _zweiten_ _____ Mal auf der Post.   (*second*)

1. Das _____ Mal gab ich dem Postbeamten _____ und ging weg, ohne mein Wechselgeld (*change*) zu zählen.   (*first; twenty euros*)

2. Ich hatte nur _____ und _____ Briefmarken gekauft und hätte _____ und etwas Kleingeld zurückbekommen sollen.   (*sixties, fifties [stamps]; ten euros*)

3. Als ich bei der Metzgerei (*butcher shop*) war, sah ich auf einmal, dass _____ meines Geldes fehlte.   (*two-thirds*)

4. Ich kaufte nur _____ Pfund Fleisch: _____ so viel, wie ich brauchte! (*half a; half*)

5. Ich musste dann _____ Kilometer zurück zum Postamt laufen, wozu ich eine _____ Stunde gebraucht habe.   (*three-and-a-half; three-quarters*)

6. Es war warm und ich musste _____ Wasser trinken.   (*two glasses*)

7. Nun bekomme ich mein Geld zurück, aber ich musste _____ so weit wie üblich laufen und konnte nur _____ meiner Einkäufe erledigen.   (*twice; a fraction*)

   Copyright © Houghton Mifflin Company. All rights reserved.

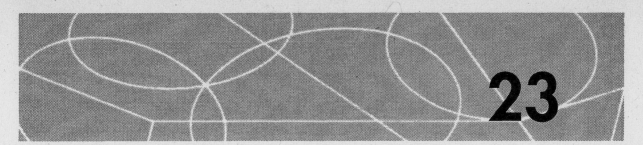

Seasons, Dates, and Time Expressions

A. Wann nochmal? Schreiben Sie die Informationen in ganze Sätze mit Zahlwörtern um.

> **BEISPIEL** Mo./ um 08.30 (formell) / nach London fliegen (wir; im Präsens)
> *(Am) Montag um acht Uhr dreißig fliegen wir nach London.*

1. Mi. / der 01.05. / ein Feiertag sein (im Präsens)

_____

2. 1938 in die USA emigrieren / 1955 in Zürich sterben (Thomas Mann; im Präteritum)

_____

3. Am 23.06. / um 10 Uhr 34 abends (formell) / auf die Welt kommen (Edith; im Perfekt)

_____

4. So. / gegen 19.45 (informell) / vorbeikommen / ? (du; im Präsens)

_____

_____

B. Auf Deutsch. Übersetzen Sie die Sätze.

1. I like (*use* **gefallen**) summer, but in the fall the trees are more beautiful, especially in October.

_____

_____

2. In the late morning I like to walk (*use* **spazieren gehen**); I walked for hours Tuesday (*late*) morning.

_____

_____

3. Günther and I will talk (**sich unterhalten**) all morning until noon, like (**wie**) last week.

_____

_____

4. This tradition (**die Tradition**) began two years ago, because in the fall we had time during the day on weekdays. (im Präteritum)

_____

_____

Copyright © Houghton Mifflin Company. All rights reserved.

5. One morning he won't come because winter is coming.

_____

_____

6. In the winter he has to work mornings and has time only on the weekend.

_____

_____

C. Das Stipendium. Setzen Sie den fehlenden Ausdruck ein.

   BEISPIEL _____ _Eines Tages_ _____ möchte ich Professorin werden.   (_one day_)

1. Am Wochenende habe ich eine Universität besucht, an der ich studieren möchte.   (_previous_)

2. Die Uni ist seit _____ für Germanistik bekannt.   (_decades_)

3. _____ habe ich mich dort um eine Stelle beworben.   (_a few months ago_)

4. Ich habe _____ an der Uni verbracht, um sie mir anzusehen.   (_three days_)

5. _____ vergibt man (_award_) ein großes Stipendium (_scholarship_).

   _____ erfahre ich, ob ich es bekommen habe! (_every two years; the day after tomorrow_)

6. Ich warte schon _____ auf Nachricht und hätte am liebsten schon

   _____ Bescheid gewusst! (_for days; the week before last_)

D. Wortschatz. Vervollständigen Sie die Sätze mit dem passenden Wort in Klammern.

   BEISPIEL Vor _____ _kurzer_ _____ Zeit haben wir uns ein neues Auto gekauft.   (kurz-, jed-)

1. Zu _____ Zeit haben wir nur ein Auto gehabt.   (gewiss-, der)

2. Von _____ Zeit musste ich aber ein Taxi nehmen, um zur Arbeit zu kommen.
   (Zeit zu, recht-)

3. Nach _____ Zeit haben wir uns entschieden, dass wir doch ein zweites Auto
   brauchten.   (gleich-, einig-)

4. Zur _____ Zeit habe ich einen neuen Job bekommen, sodass wir uns ein zweites
   Auto leisten konnten.   (gleich-, jetzt-)

5. In _____ Zeit bin ich froh darüber, denn jetzt müssen wir nicht mehr
   aufeinander warten.   (jed-, letzt-)

   Copyright © Houghton Mifflin Company. All rights reserved.

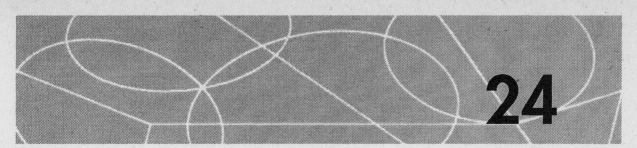

24

Adverbs

A. Auf Deutsch. Drücken Sie die Sätze auf Deutsch aus.

1. Stefan writes letters often.

   _____

2. The train never arrives from the right.

   _____

3. I hardly study (**lernen**) for this course.

   _____

4. The girls always run to the back.

   _____

5. Now and then, Claas writes me an e-mail.

   _____

6. The children are playing over there.

   _____

7. We carried the boy out of the room.

   _____

8. After much debating they bought the car.

   _____

9. Did he say "come in!" or "go out!"?

   _____

10. The cat asked Alice where she came from and where she was going.

    _____

Copyright © Houghton Mifflin Company. All rights reserved.

B. Anders gesagt. Schreiben Sie die Sätze mit Adverbien um.

> BEISPIEL   Es ist **erstaunlich,** dass er erst jetzt kommt.
> *Erstaunlicherweise kommt er erst jetzt.*

1. Sie trafen sich in **Paaren.**

   _____

2. Wir haben **Glück** gehabt, dass wir den Zug nicht verpasst haben.

   _____

3. Es ist **möglich,** dass sie schon morgen früh ankommt.

   _____

4. Es tut mir **Leid.** Mein Freund ist nicht hier.

   _____

5. Sie ist eine **ausgezeichnete** Schachspielerin.   (*use* **spielen**)

   _____

6. Millionen von Menschen nahmen die Mauer in **Stücken** auseinander.

   _____

7. Es war schon eine **Überraschung,** dass die Demonstrationen friedlich abliefen.

   _____

8. Am **Ende** kamen wir in Magdeburg an.

   _____

C. Wann? Wie? Wo? Setzen Sie die fehlenden Adverbien ein und bringen Sie die Satzteile in die richtige Reihenfolge (*order*). Beginnen Sie jeden Satz mit dem fett gedruckten Satzteil.

> BEISPIEL   **Sie kam** an.   (*yesterday / in the train station / at eight o'clock* P.M.)
> *Sie kam gestern um zwanzig Uhr am Bahnhof an.*

1. Wir liefen.   (*quickly / into the city /* **after the lecture**)

   _____

2. Oma spricht.   (**am liebsten** / *at four / afternoons / with her friend [f.]*)

   _____

3. Er schnarcht (*snores*).   (*loudly /* **in the evening** / *in front of the television*)

   _____

4. Britta nähte den Pullover zusammen.   (*this morning / piece by piece /* **slowly**)

   _____

5. Sascha konnte hören.   (*yesterday evening / hardly /* **unfortunately**)

   _____

    Copyright © Houghton Mifflin Company. All rights reserved.

6. Paulina arbeitet. (*at her desk / **this summer** / diligently / every day*)

_____

7. **Florian** zieht sich um. (*in the corner / quickly / now*)

_____

8. Wir rufen dich an. (***tomorrow** / in the office / at three / with our questions*)

_____

D. Der fleißige Uli. Setzen Sie in jeden Satz das passende Adverb ein.

    BEISPIEL   Uli kommt nie mit uns mit; _____*dennoch*_____ lade ich ihn jede Woche ein.
(stattdessen, dennoch)

1. Er hat keine Zeit und kann _____ nicht mitkommen. (dennoch, deshalb)

2. _____ hat er den Film schon gesehen. (trotzdem, außerdem)

3. Ich habe den Film auch schon gesehen und _____ komme ich heute Abend mit.
(trotzdem, daher)

4. Der Film hat mir gut gefallen; _____ will ich ihn mir ein zweites Mal ansehen.
(dennoch, deswegen)

5. Uli will _____ zu Hause bleiben und lernen. (stattdessen, darum)

6. _____ hat er bessere Noten als ich! (trotzdem, daher)

E. Wortschatz. Setzen Sie in jeden Satz das passende Wort ein.

    BEISPIEL   _____*Zuerst*_____ muss ich das mit meinen Mitbewohnern (*housemates*)
besprechen. (vor kurzem, zuerst)

1. _____ sollten wir lieber noch nichts kaufen. (vorher, damals)

2. Sie sind leicht beleidigt und _____ warten wir lieber mit den großen Plänen.
(dennoch, deswegen)

3. Wir können uns _____ schon mal überlegen, wen wir einladen. (damals,
dennoch)

4. _____ haben wir uns gut verstanden (*got along*), aber _____

    habe ich die Küche nicht geputzt und _____ sind sie jetzt auf mich böse.
(anfangs, darum) / (bis dahin, neulich) / (einst, deshalb)

5. _____ habe ich _____ vergessen die Miete (*rent*) zu
bezahlen. (zunächst, außerdem) / (noch, daher)

6. _____ haben sie mich auch verklagt (*brought charges against*), aber wir sollten

    das Fest am Freitag _____ feiern. (inzwischen, dennoch) / (stattdessen,
trotzdem)

Copyright © Houghton Mifflin Company. All rights reserved.

F. Die Mauer. Beginnen Sie die Sätze mit dem fett gedruckten Satzteil.

BEISPIEL   Die Mauer ist **am 9. November** friedlich gefallen.
       Am 9. November ist die Mauer friedlich gefallen.

1. Die Leute tanzten **an diesem berühmten Abend** fröhlich auf der Mauer.

   _____

2. Die Menschen sprachen einander **in den Tagen danach** in den Straßen spontan an.

   _____

3. Man sah die Bilder der Demonstrationen **monatelang** im Fernsehen.

   _____

4. Es war **möglicherweise** eines der wichtigsten Ereignisse des 20. Jahrhunderts.

   _____

    Copyright © Houghton Mifflin Company. All rights reserved.

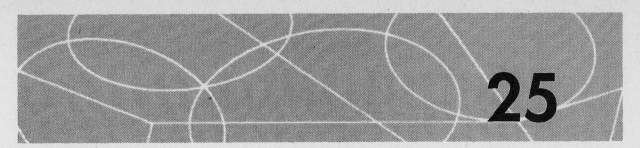

Particles

A. Was soll denn das heißen? Unterstreichen Sie die Abtonungspartikeln und erklären Sie kurz, was damit ausgedrückt (*expressed*) wird.

casualness	impatience	interest	urgency
concession	indignation	probability	resignation

BEISPIEL Sag doch etwas!   *doch: impatience*

1. Ich werde halt mehr lernen müssen. _____

2. Das ist wohl sein Auto. _____

3. Trink ja nicht zu viel! _____

4. Zeit habe ich schon, aber keine Lust. _____

5. Das ist doch nicht wahr! _____

6. Was hast du denn da? _____

7. Sag mal, hast du heute Abend Zeit? _____

8. Schick mir doch eine E-Mail! _____

B. Wie sagt man das nur? Setzen Sie das Abtönungspartikel ein, das am besten passt.

BEISPIEL Gabis neuer Pullover gefällt Ihnen sehr: „Gabi, dein Pullover ist _____*aber*_____ schön!" (aber, schon)

1. Wenn wir keine Tomaten haben, essen wir _____ keine.   (denn, eben)

2. Du weißt _____, was sie sagen will.   (halt, ja)

3. Sie warten auf einen Freund. Sie rufen ihn nach einer Stunde an und sagen: „Na, komm

   _____!"   (schon, auch)

4. Sie treffen eine Bekannte, die Sie lange nicht gesehen haben, und sagen: „Komm

   _____ vorbei!"   (mal, nun)

5. Peter ist überrascht, dass er Post bekommen hat. Er sagt: „Ich habe _____

   _____Freunde!"   (nur, also) / (doch, überhaupt)

Copyright © Houghton Mifflin Company. All rights reserved.

6. Ute macht sich Sorgen, dass sie die Prüfung nicht bestehen wird. Sie möchten sie ermutigen (*encourage*).

„Mach dir keine Sorgen, Ute. Du schaffst es _____ ." (eben, schon)

7. Sie erwarten einen Besuch von Birgit und es klingelt an der Tür. „Das wird

_____ Birgit sein." (wohl, doch)

8. Georg ärgert sich, dass seine Freundin zum fünften Mal ihre Verabredung (*date*) vergessen hat. „Wie

kann man _____ so vergesslich sein?" (zwar, nur)

C. Wortschatz. Reagieren Sie auf die Situationen.

BEISPIEL   Er sagt, dass er einfach keine Zeit hat.   (*I'm pretty sure that's right.*)
Das wird schon stimmen.

1. Einige haben Glück, andere haben Pech.   (*That's just how it is.*)

_____

2. Sie haben den allerletzten Zug verpasst.   (*That can't be true!*)

_____

3. Sie ermutigen einen Bekannten.   (*I'm sure it'll work out OK.*)

_____

4. Kommst du am Wochenende mit?   (*We'll see . . .*)

_____

5. Hat er einen guten Grund?   (*I should think so.*)

_____

6. Ihre Kinder streiten sich.   (*What's going on here?*)

_____

7. Sie wollen alle verschiedene Spiele spielen.   (*That's just what I figured.*)

_____

    Copyright © Houghton Mifflin Company. All rights reserved.

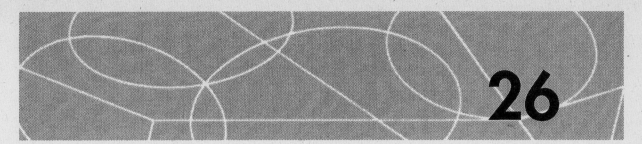

Relative Pronouns

A. **Auf Tournee** (*on tour*). Schreiben Sie die beiden Sätze in einen Relativsatz um.

BEISPIEL   Andrea spielt in einem Orchester. Das Orchester reist jedes Jahr nach Ulm.
Andrea spielt in einem Orchester, das jedes Jahr nach Ulm reist.

1. Sie hat eine Trompete. Diese Trompete ist zweimal so alt und halb so schön wie sie.

   _____

   _____

2. Dieser Dirigent (*conductor*) ist in der ganzen Well berühmt. Er kommt aus Spanien.

   _____

   _____

3. Das Orchester spielt in vielen Ländern. Diese Länder liegen nicht alle in Europa.

   _____

   _____

4. Die Städte sind die Hauptstädte Europas. Das Orchester spielt oft in diesen Städten.

   _____

   _____

5. Andrea sitzt neben einem jungen Mann. Ich habe ihn vor zwei Jahren getroffen.

   _____

   _____

6. Das ist der gemeinsame Bekannte. Diesem Bekannten habe ich mein Auto verkauft.

   _____

   _____

Copyright © Houghton Mifflin Company. All rights reserved.

7. Dieser Bekannte hat eine Freundin. Jetzt gehört dieser Freundin das Auto.

_____

_____

8. Sie spielt auch in diesem Orchester. Diesem Orchester wurde ein Preis verliehen.

_____

_____

B. **Was für ein ...** Vervollständigen Sie die Sätze auf Deutsch.

BEISPIEL   Ich suche einen Menschen ...   (who needs me, whom I can love, and whom I can dance with.)
Ich suche einen Menschen, der mich braucht, den ich lieben (kann) und mit dem ich tanzen kann.

1. Sie sind eine Frau, ...   (who works hard, whom I can work for; and whom I trust [**vertrauen** + dat.].)

_____

_____

2. Ich besuche meinen Onkel, ...   (whom I told you about, whom I haven't seen for [**seit**] years, and who lives in Ulm.)

_____

_____

3. Sie wohnt in dem Haus, ...   (that has many windows, that we saw yesterday, and in which I also live.)

_____

_____

4. Ich möchte Kinder haben, ...   (who laugh a lot, whom I can take care of [**sich kümmern um** + acc.], and whom I can talk with.)

_____

_____

5. Am besten finde ich Professoren, ... (who are funny, from whom one can learn a lot, and whom one can understand.)

_____

_____

C. **Wessen?** Schreiben Sie die beiden Sätze in einen Relativsatz um.

BEISPIEL   Kennst du unsere Nachbarin? Ihr Sohn studiert jetzt in Spanien.
Kennst du unsere Nachbarin, deren Sohn jetzt in Spanien studiert?

1. Nun sehe ich den Jungen. Mit seinem Fahrrad bist du gekommen.

_____

2. Sie sollen uns ein Märchen (_fairy tale_) erzählen. Sein Ende ist schön.

_____

     Copyright © Houghton Mifflin Company. All rights reserved.

3. Wo leben die Leute? Wir lernen jetzt ihre Sprache.

_____

4. Kathrin ist eine Freundin von mir. Ihr Auto wurde gestohlen.

_____

5. Der Autor hält einen Vortrag. Seine Bücher haben wir alle gelesen.

_____

6. Wann lebte die Autorin? Wir lesen gerade ihr Buch.

_____

D. Mehr Relativsätze. Schreiben Sie einen Relativsatz mit den Wörtern in Klammern.

BEISPIEL   Habt ihr alles getan?   (ihr / tun können)
Habt ihr alles getan, was ihr tun konntet?

1. Ich muss dir etwas erzählen.   (dich / nicht freuen werden)

_____

2. Manches hat uns erschreckt (*startled*).   (wir / in Frankfurt sehen)

_____

3. Das Schlimmste kam zuerst.   (ihr / passieren)

_____

4. Sie lächelten die ganze Zeit.   (mich / eigentlich stören)

_____

5. Das Zweite hat er vergessen.   (er / tun wollen)

_____

6. Unser Professor gibt uns zu viele Hausaufgaben auf.   (wir / nicht gut finden)

_____

7. Aber dadurch lernen wir auch viel.   (uns / gut tun)

_____

8. Das Beste wäre eine Eins zu kriegen.   (wir / machen können)

_____

Copyright © Houghton Mifflin Company. All rights reserved.

E. Auf Deutsch. Übersetzen Sie die Sätze. Verwenden Sie das Präteritum für die Vergangenheit.

1. He asked me whom I wanted to talk to.

_____

2. I asked him who he was.

_____

3. She wanted to know whose money we had used.

_____

4. Whoever needs food I will help.

_____

5. They didn't say where they had been or what they had done.

_____

_____

6. He won't say what he painted (**malen**) the picture with.

_____

7. Do something we can be proud of (**stolz auf** + acc.). (*formal*)

_____

F. Wortschatz. Ordnen Sie die Wörter in die passende Kategorie ein.

Säge	**Stuhl**	**Motorrad**	**Schraubenzieher**
Auto	**Bett**	**PKW (Personenkraftwagen)**	**Regal**
Hammer	**Rathaus**	**LKW (Lastkraftwagen)**	**Wolkenkratzer**
Schraubenschlüssel	**Kirche**	**Tisch**	**Haus**

Fahrzeuge: _____

_____

Gebäude: _____

_____

Möbel: _____

_____

Werkzeuge: _____

_____

 Copyright © Houghton Mifflin Company. All rights reserved.

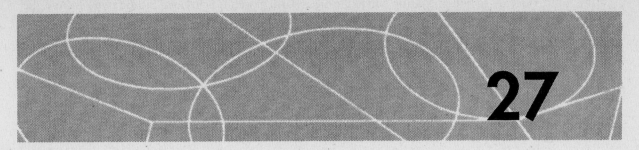

Indirect Discourse • Subjunctive I

A. Verbformen. Bilden Sie den Konjunktiv I für die folgenden Verben.

BEISPIEL geben (er, es)   a. *er gebe*   b. *es gebe*

1. können (ich, sie *sing.*)   a. _____

                    b. _____

2. haben (er, es)   a. _____

                    b. _____

3. sein (wir, Sie)   a. _____

                    b. _____

4. wollen (ich, er)   a. _____

                    b. _____

5. werden (du, sie *sing.*)   a. _____

                    b. _____

6. müssen (ihr, ich)   a. _____

                    b. _____

B. Mehr Verbformen. Schreiben Sie den Indikativ, den Konjunktiv I und den Konjunktiv II für diese Verben.

	Indikativ	Konjunktiv I	Konjunktiv II
BEISPIEL sehen (ich)	*ich sehe*	*ich sehe*	*ich sähe*
1. geben (wir)	_____	_____	_____
2. singen (Sie)	_____	_____	_____
3. kaufen (sie *pl.*)	_____	_____	_____
4. sehen (sie *sing.*)	_____	_____	_____
5. laufen (ihr)	_____	_____	_____
6. sagen (ich)	_____	_____	_____
7. haben (du)	_____	_____	_____
8. lernen (er)	_____	_____	_____

Copyright © Houghton Mifflin Company. All rights reserved.

C. Welche Verbform? Umkreisen Sie (*circle*) die Verbformen in Übung B, die Sie benutzen würden, um die Indirekte Rede zu bilden. Warum haben Sie diese Form gewählt? Schreiben Sie die zwei Gründe, die es gibt. (Zwei dieser Verben kann man entweder im Konjunktiv I oder im Konjunktiv II benutzen.)

1. _____
_____

2. _____
_____

D. Diebstahl! Schreiben Sie die Aussagen der folgenden Leute in die Indirekte Rede (Konjunktiv I) um.

BEISPIEL   Walter: „Jemand hat den frisch gebackenen Kuchen gestohlen!" (*to yell*)
Walter schrie, dass jemand den frisch gebackenen Kuchen gestohlen habe.

1. Inge: „Ich habe den Kuchen vor fünf Minuten auf dem Tisch gesehen." (*to assure*)
_____

2. Jens: „Ich bin es nicht gewesen. Ich esse keinen Kuchen." (*to swear*)
_____

3. Gabi: „Ich bin den ganzen Nachmittag in meinem Zimmer gewesen." (*to emphasize*)
_____

4. Ich: „Wann bist du nach Hause gekommen, Walter?" (*to ask*)
_____

5. Inge und Jens: „Walter hat auch immer Hunger!" (*to inform*)
_____

6. Walter: „Ich werde den Täter (*culprit*) finden, um meine Unschuld zu beweisen!" (*to reply*)
_____
_____

E. Auf Deutsch. Übersetzen Sie die Sätze. Verwenden Sie den Konjunktiv I, wenn möglich.

1. Long live the queen! _____

2. Sigrid wanted to know who bought her kittens (**das Kätzchen, -**).
_____

3. Sven said that we should call him tomorrow.
_____

4. Take three eggs and stir (**rühren**) them into the dough (**der Teig**).
_____

5. Marianne told me that she would call tonight if she could, but her telephone is out of order (**kaputt**).
_____
_____

    Copyright © Houghton Mifflin Company. All rights reserved.

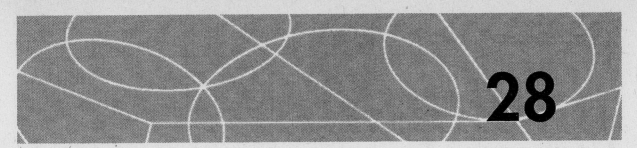

Passive Voice

A. Mein Zimmer aufräumen?! Übersetzen Sie die Sätze. Dann schreiben Sie, welche Funktion von **werden** benutzt wird: *main verb, future tense* oder *passive voice.*

> **BEISPIEL**   Bis morgen werde ich mein Zimmer aufräumen.
> *I will clean my room by tomorrow (future tense)*

1. Mein Zimmer wird immer schmutziger.

_____

2. Letzte Woche wurde mir gesagt, dass das Zimmer ekelhaft (*disgusting*) sei.

_____

4. Vielleicht werde ich Putzfrau von Beruf!

_____

5. Meine ganze Wohnung sollte eigentlich (*actually*) geputzt werden.

_____

6. Vielleicht wird das von kleinen Feen (*fairies*) in der Nacht gemacht!

_____

B. Ins Passiv. Bilden Sie Sätze im Passiv.

> **BEISPIEL**   Die Stadt repariert diese Brücke.
> *Diese Brücke wird (von der Stadt) repariert.*

1. Man vergisst solche Taten (*deeds*) nicht.

_____

2. Das Feuer zerstörte das Haus.

_____

3. Leute fragen mich oft, warum ich grüne Haare habe.

_____

4. Was ist denn los? Jemand hat dich gestern auf der Polizeistation gesehen.

_____

Copyright © Houghton Mifflin Company. All rights reserved.

5. Man hat die Passagiere gebeten nicht zu rauchen.

_____

6. Jemand hat diese Lösung (*solution*) auf das Problem schon vor Jahren vorgeschlagen (*suggested*).

_____

7. Jeden Morgen melkt man die Kühe.

_____

8. Jemand beantwortet die Fan-Briefe für die Pop-Stars so schnell wie möglich.

_____

C. Von wem, wodurch oder womit? Schreiben Sie die Sätze um. Benutzen Sie die *agents* in Klammem und wählen Sie die passende Präposition.

    BEISPIEL   Sobald ich die Stadt verließ, wurde ich vergessen.   (meine Freunde)
                  Sobald ich die Stadt verließ, wurde ich von meinen Freunden vergessen.

1. Die Suppe sollte alle zehn Minuten gerührt werden. (der Löffel)

_____

2. Die Stadt wurde wieder aufgebaut. (schwere gemeinsame Arbeit)

_____

3. Diese Fotos wurden auf dem Fest gemacht. (Klaus; deine Kamera)

_____

4. Dieses Rennen (*race*) wird gewonnen. (die Ausdauer = *perseverance*)

_____

5. Die Frau ist ermordet (*murdered*) worden. (ein Unbekannter; ein Messer)

_____

6. Unsere Schwierigkeiten wurden verursacht (*caused*). (die Epidemie)

_____

7. „Münchhausen Ohnegleichen" wurde 1785 geschrieben. (Rudolf Erich Raspe)

_____

D. Anders gesagt. Drücken Sie die Sätze mit anderen Konstruktionenen aus.

    BEISPIEL   In einem Restaurant wird gegessen. (man)
                  In einem Restaurant isst man.

1. Dieser Aufsatz muss bis morgen eingereicht (*handed in*) werden. (**sein + zu +** Infinitiv)

_____

2. Wie wird Ihr Name geschrieben? (*reflexive verb*)

_____

   Copyright © Houghton Mifflin Company. All rights reserved.

3. Kann das Auto repariert werden? (sich lassen)

_____

4. Ihr Buch wird leicht gelesen. (*reflexive verb*)

_____

5. Wie wird dieses Wort ausgesprochen? (man)

_____

6. Der Unfall (*accident*) konnte nicht verhindert (*prevented*) werden. (**sein + zu** + Infinitiv)

_____

E. **Das sollte gemacht werden.** Schreiben Sie die Sätze mit einem Modalverb ins Passiv um.

> **BEISPIEL** Viele besuchen die Ausstellung in der Kunsthalle. (sollen: Konjunktiv II)
> *Die Ausstellung sollte von vielen besucht werden.*

1. Eine Flut (*flood*) überschwemmt (*floods*) die Stadt. (können: Konjunktiv II)

_____

2. Der Arzt sagt, wir dürfen Mutti jetzt sehen. (Konjunktiv I)

_____

3. Er erzählte die wahre Geschichte zuerst. (müssen: Präteritum)

_____

4. Wir waschen unsere Hände vor dem Essen. (sollen: Präteritum)

_____

5. Der Fremde fotografierte euch vor dem Rathaus. (wollen: Präteritum)

_____

6. Manni treibt das Geld in einer Stunde auf (auftreiben = *find*). (müssen: Präsens)

_____

F. **Auf Deutsch.** Übersetzen Sie die Sätze.

1. My apartment is being painted, but his is already painted (**gestrichen**).

_____

2. Will the house be renovated by (**renoviert bis**) next month?

_____

3. Which construction company (**das Baugeschäft**) is it being renovated by?

_____

Copyright © Houghton Mifflin Company. All rights reserved.

4. There was lots of celebrating (**feiern**) yesterday.   (Passiv – **es**)

_____

5. There was a lot of discussing until late at night.   (Passiv – **es**)

_____

6. Not taking pictures (**fotografierenen**) in this building.

_____

G. Nochmal Passiv. Schreiben Sie die Sätze um. Verwenden Sie entweder Akkusativ- oder Dativobjekte als Element I.

BEISPIEL   Jemand stiftete (*donated*) der Kirche viel Geld.   (Dativ)
   Der Kirche wurde viel Geld gestiftet.

1. Seine Eltern schenken dem Graduierenden eine Uhr.   (Akkusativ)

_____

2. Alle Verwandten gratulierten dem jungen Mann.   (Dativ)

_____

3. Man hörte dem Lehrer kaum zu.   (Dativ)

_____

4. Wir helfen den Armen nicht genug.   (Dativ)

_____

5. Meine Professorin hatte mir die Frage schon beantwortet.   (Akkusativ)

_____

H. Wortschatz: Das Verb *schaffen*. Vervollständigen Sie die Sätze mit der passenden Form des Verbs **schaffen**.

1. Trotz der Hitze haben wir es _____.

2. Dieses Haus ist für uns wie _____.

3. Wie viele Jahre hat sie in der Fabrik _____?

4. Der Künstler hat in seinem Leben über 1000 Gemälde _____.

5. Irgendwie _____ sie Ruhe im Klassenzimmer.   (Präteritum)

6. Der Bäcker _____ die Brötchen in den LKW.   (Präteritum)

   Copyright © Houghton Mifflin Company. All rights reserved.

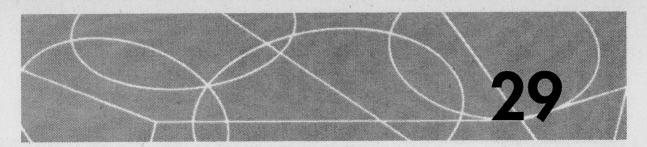

Verb Prefixes

A. Das richtige Präfix. Vervollständigen Sie jeden Satz mit der richtigen Form des passenden Präfixverbs.

BEISPIEL Wir gehen jetzt ins Kino. Möchtest du _____*mitkommen*_____? (*to come along*)

1. _____ Sie sich diese Pläne _____? (*to look at*)

2. Komm schon! Wir müssen _____. (*to get in*)

3. Hanna hat meine Hand _____. (*to let go of*)

4. Wenn du mit dem Buch fertig bist, kannst du es _____? (*bring back*)

5. Alle anderen haben _____. (*to sing along*)

6. _____ ihr heute Abend _____? (*to stop by, come by*)

7. Nach der Pause wurde _____. (*to continue playing*)

8. Mein Mann hat mir immer _____. (*to stand by, aid*)

B. Mehr Präfixe. Vervollständigen Sie jeden Satz mit der richtigen Form des passenden Präfixverbs.

BEISPIEL Wir müssen jetzt gehen. _____*Ziehst*_____ du dich _____*an*_____? (-ziehen)

1. Mir ist es zu kalt. Ich _____ das Fenster _____.
   (-machen)

2. Die Hose ist ihm zu eng (*tight*). Hat er _____? (-nehmen)

3. Bevor ihr ins Bett geht, sollt ihr den Fernseher _____. (-schalten)

4. Vor dem Sommer möchte ich drei Kilo _____. (-nehmen)

5. Du solltest die gute Meeresluft _____. (-atmen)

6. Ich hoffe, du _____ im Beruf _____ und nicht

   _____. (-steigen)

7. Warum _____ sie _____, hat sie es eilig (*is she in
   a hurry*)? (-gehen)

8. Wie kann er lesen, ohne sein Buch _____? (-machen)

Copyright © Houghton Mifflin Company. All rights reserved.

C. Welches Verb passt? Setzen Sie die richtige Form des passenden **ent**-Verbs ein.

entdecken	entfernen	entheiligen	entkräften
entfalten	entfetten	entkommen	~~entschuldigen~~

BEISPIEL   _____ *Entschuldigen* _____ Sie bitte, dass ich Sie vergessen habe.

1. Der erste Kampf _____ die Soldaten so, dass sie aufgeben wollten.

2. Wie sind Sie dem Feind _____?

3. Schliemann hat die antike Stadt Troja _____.

4. _____ eure Servietten (*napkins*), bevor ihr esst!

5. Es ist mir egal, was Sie machen, aber _____ Sie diesen schrecklichen Geruch (*odor*)!

6. Wer würde unsere Kirche _____?

7. Dieses Shampoo _____ selbst das fettigste Haar.

D. Anders gesagt. Drücken Sie die Sätze besser aus, indem Sie Verben mit dem Präfix **er**-verwenden.

BEISPIEL   Die neuen Gardinen haben das Zimmer heller gemacht.
                    Die neuen Gardinen haben das Zimmer erhellt.

1. Leider werden unsere Preise ab morgen höher sein.

    _____

2. Wie haben Sie die Glückszahl richtig geraten?

    _____

3. Diese Frau hat drei Leute zu Tode gestochen.

    _____

4. Wir haben hart gearbeitet, bis wir dieses Grundstück (*plot of land*) kaufen konnten. (*Use reflexive construction.*)

    _____

5. Sie haben mir ein neues Leben möglich gemacht.

    _____

6. Unsere Kinder finden immer bessere Ausreden (*excuses*).

    _____

7. Der Wahnsinnige (*insane man*) schlägt seine Opfer (*victims*), bis sie tot sind.

    _____

 Copyright © Houghton Mifflin Company. All rights reserved.

E. Versprich dich nicht! Wählen Sie ein passendes Verb aus der Liste und setzen Sie seine richtige Form ein. Verwenden Sie jedes Verb nur einmal.

brauchen	führen	sprechen	verfahren	verrechnen
fahren	rechnen	verbrauchen	verführen	versprechen

1. Wir _____ schon seit einer Stunde in derselben Gegend herum.

2. Ich glaube, wir haben uns _____.

3. Pass auf, dass du dich nicht _____. Wir haben nur 20 Euro.

4. Er _____ mehr Benzin (*gasoline*), denn sein Wagen

   _____ mehr als deiner.

5. Die Polizistin _____ uns gestern nach Hause.

6. Sie hat mir _____, nie wieder mit ihm zu _____.

7. Aber sie wird so leicht von einem schönen Gesicht _____.

8. Ich _____ schlecht und bekomme eine Drei in Mathe.

F. Hin und her. Setzen Sie die fehlenden **hin-** und **her-**Konstruktionen ein.

BEISPIEL   Ingeborg und Max spielen Ball im Garten. Max wirft versehentlich (*by mistake*)
           einen Ball auf das Dach (*roof*); Ingeborg fragt ihn: „Wo hast du den Ball

   _____*hingeworfen*_____?" (*to throw*)

1. „Das war ein Fehler. Ich habe nicht gut _____." (*to look*)

2. „Ich bin fitter als du. Lass mich _____." (*to climb* [**klettern**] *up*)

3. „Na gut, aber weißt du, wo er _____ ist?" (*to roll to*)

4. „Das sehe ich, wenn ich da oben bin. Hilfst du mir _____?" (*up*).
   Sie klettert auf das Dach und sieht sich um.

5. „Max, von hier oben kann man die ganze Nachbarschaft sehen! Du sollst auch

   _____. Ich helfe dir_____." (*to climb up; up*)

6. „Ich will aber nicht _____ ! Wirf den Ball _____!"
   (*to climb up, down*)

7. „Wo hast du bloß deine Faulheit (*laziness*) _____? Hier ist dein Ball, aber

   ich klettere nie wieder _____; hier oben ist es einfach zu schön.

   Vielleicht können wir den Ball _____ werfen, statt nur

   _____!" (*from; down; up and down; back and forth*)

8. „Na gut, aber wenn es dunkel wird, kommst du bestimmt _____!" (*down*)

Copyright © Houghton Mifflin Company. All rights reserved.

G. Auf Deutsch. Übersetzen Sie die Sätze.

1. Some people mistreat animals.

   _____

2. The youths (**die Jugendlichen**) drowned after they ran away (**fortlaufen**) from home.   (im Perfekt)

   _____

   _____

3. Time passes too quickly.

   _____

4. You (*formal*) misinterpreted my question.

   _____

5. His answer doesn't calm me.

   _____

6. The glass shattered.   (im Präteritum)

   _____

7. My dog befriends almost everyone.

   _____

8. But she distrusts (*dat.*) other dogs.

   _____

9. The lion tore the zebra (**das Zebra**) to pieces.   (im Perfekt)

   _____

10. Do you (*formal*) possess a green Mercedes (*m.*)?

   _____

H. Wortschatz. Setzen Sie die richtige Form des passenden Verbs ein.

BEISPIEL   Was hast du zum Geburtstag _____*bekommen*_____? (verkommen, bekommen)

1. Möchten Sie Ihre Sünden (*sins*) _____? (verkennen, bekennen)

2. Er ist ein guter Anwalt, er wird Ihren Sohn gut _____. (verraten, beraten)

3. Diese Straße wird viel _____. (befahren, erfahren)

4. Der Arzt hat mir diese Pillen _____. (schreiben, verschreiben)

5. Nach dem zweiten Weltkrieg haben die Alliierten Deutschland _____.
   (besetzen, ersetzen)

6. Die Baustelle soll man nicht _____. (vertreten, betreten)

7. Erst beim dritten Mal hat sie die Prüfung _____. (bestehen, erstehen)

8. Deinen Brief habe ich mit Freude _____. (erhalten, behalten)

   Copyright © Houghton Mifflin Company. All rights reserved.

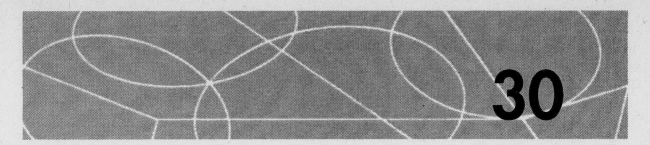

Prepositions as Verbal Complements

A. Das einsame Verb. Ordnen Sie die Verben den passenden Präpositionen zu. Jedes Verb darf nur einmal vorkommen! Ein Verb passt zu keiner Präposition.

arbeiten	sich befassen	rechnen	sich verlieben
neigen	forschen	jemandem gratulieren	geraten
aussehen	jemanden erkennen	warten	grenzen
sich vertragen	dienen	sich umsehen	~~sich wenden~~
führen	sich vertiefen	sterben	verkehren

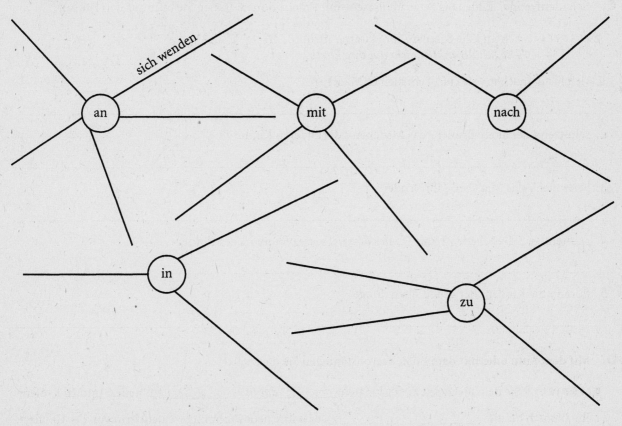

Das einsame Verb: _____

Copyright © Houghton Mifflin Company. All rights reserved.

B. Mit der richtigen Präposition. Setzen Sie in jeden Satz eine passende Präposition ein.

BEISPIEL   Der junge Autofahrer blickte _____ *auf* _____ den Stadtplan.

1. Er dachte _____ seine Schwester, die er besuchen wollte.

2. Er wollte ihr zeigen, was _____ ihm geworden ist.

3. Er wollte ihr die Frau vorstellen, _____ die er sich verliebt hat.

4. Er schämte sich _____ seine Rücksichtslosigkeit (*lack of consideration*).

5. Er hat in den letzten fünf Jahren keinen einzigen Brief _____ sie geschrieben.

6. Seine Schwester freute sich sehr _____ seinen spontanen Besuch.

7. Sie schrie _____ lauter Freude, als sie ihn an der Türschwelle stehen sah.

8. Sie erzählte ihm _____ ihrem Mann und ihren Kindern, die er nicht kannte.

9. Sie gratulierte ihm und der jungen Frau _____ ihrer Verlobung (*engagement*).

10. Die beiden Besucher dankten der Schwester _____ ihre Gastfreundlichkeit und verabschiedeten sich, um das Ganze in der nächsten Stadt zu probieren.

11. Sie hofften _____ Kaffee und Kuchen bei der nächsten einsamen Hausfrau.

C. Schadenfreude. Bilden Sie Sätze im Präsens mit Präpositionen. Passen Sie bitte auf den Fall auf.

BEISPIEL   achten / die Schüler / ihre Eltern / nicht
Die Schüler achten nicht auf ihre Eltern.

1. sich lustig machen / sie (*pl.*) / ein kleines Mädchen

_____

2. schützen / der ältere Bruder / das Mädchen / die anderen Kinder

_____

3. vertrauen / das Mädchen / ihr Bruder

_____

4. spotten / er / die Schadenfreude (*f., sick or cruel sense of humor*) der Kinder

_____

5. hören / die Kinder / der große, ältere Junge

_____

D. Mit dem Auto oder mit dem Bus? Vervollständigen Sie die Sätze.

BEISPIEL   Sie denkt jetzt seit zwei Monaten _____ *daran* _____, ein neues Auto zu kaufen.

1. Ihr Wunsch beruht _____, dass ihre neue Wohnung weit entfernt von der Uni liegt.

2. Sie irrt sich aber _____, denn die Busverbindungen in der Gegend sind sehr günstig.

3. Sie weiß bloß _____ nichts, denn sie wohnt erst seit einer Woche in dieser Nachbarschaft.

   Copyright © Houghton Mifflin Company. All rights reserved.

4. Sie sollte sich _____ erkundigen, wann und wie die Busse fahren.

5. Vielleicht könntest du ihr _____ erzählen.

6. Was meinst du _____? Hättest du Lust ihr zu helfen?

7. Kannst du heute noch mit ihr _____ reden?

8. Dann müsste sie nicht mit ihren Eltern _____ streiten, ob sie ein Auto braucht oder nicht.

9. Sie kümmert sich eigentlich nicht _____, wie sie zur Uni kommt.

10. Sie wird sich schnell _____ gewöhnen, mit dem Bus zur Uni zu fahren.

E. Anders gesagt. Schreiben Sie die Sätze mit **da** + Präposition-Konstruktionen um. Passen Sie bitte auf die Zeit auf.

BEISPIEL Die Lehrerin beschwert sich über die schlechten Arbeitsbedingungen an ihrer Schule. (sein)
Die Lehrerin beschwert sich darüber, dass die Arbeitsbedingungen an ihrer Schule schlecht sind.

1. Das Kind ist über die langen Sommerferien erstaunt. (sein)

_____

_____

2. Der Basketballtrainer bittet seine Spieler um Ruhe. (ruhig sein)

_____

_____

3. Der Vater passt auf die Ernährung seiner Kinder auf. (sich gut)

_____

_____

4. Der Spion erkennt den Polizisten an seinem komischen Gang (*walk*). (gehen)

_____

_____

5. Das Gespräch handelte sich um das schöne Wetter. (sein)

_____

_____

Copyright © Houghton Mifflin Company. All rights reserved.

F. Auf Deutsch. Übersetzen Sie die Sätze. Passen Sie besonders auf den Fall auf.

BEISPIEL I turn to my friend (*m.*) when I need help.
Ich wende mich an meinen Freund, wenn ich Hilfe brauche.

1. My brother works on his term paper (**die Seminararbeit**) every day.
_____

2. Do you believe in me?
_____

3. Your answer borders on insanity (**der Wahnsinn**)!
_____

4. My grandmother was delighted in her new apartment.
_____

5. In his article, the author refers to his first book.
_____

6. He insists that he is right (**Recht haben**).
_____

7. Let's drink to our well-being (**das Wohl**)!
_____

8. In the winter, his world is limited to basketball!
_____

9. This cake consists of flour, sugar, eggs, and milk.
_____

10. This movie is about the topic of loneliness (**die Einsamkeit**).
_____

G. Wortschatz. Schreiben Sie die Sätze wie in dem Beispiel zweimal um.

BEISPIEL Die Geschichte erwies sich als wahr.
Es stellte sich heraus, dass die Geschichte wahr war.
Es zeigte sich, dass die Geschichte wahr war.

1. Es zeigte sich nach dem Versuch, dass seine Theorie nicht stimmte.
_____

_____

2. Es wird sich noch herausstellen, ob sein Fußgelenk gebrochen ist.
_____

_____

3. Die Unterschrift erwies sich als gefälscht.
_____

_____

 Copyright © Houghton Mifflin Company. All rights reserved.

LAB MANUAL

◻

Aufgaben zum Hörverständnis

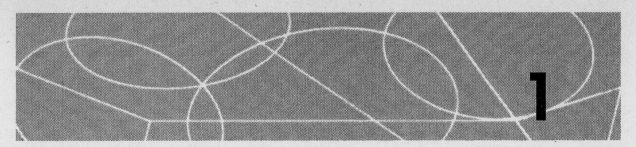

Hörverständnis 1 *Wetten, dass ...?*

Herzlich willkommen zu der beliebten Fernsehsendung *Wetten, dass ...?* mit Thomas Gottschalk als Moderator und einem Pop-Sänger als Gast. Jeden Monat sind wir dabei in einer anderen Stadt – und heute kommt die Sendung zu Ihnen live aus Leipzig!

A. Hören Sie sich das Gespräch an und kreuzen Sie die Vokabeln an, die Sie dabei hören.

_____ willkommen	_____ Christine	_____ schaffen	_____ gefunden
_____ Leipzig	_____ Christiane	_____ Lied	_____ zweimal
_____ Beethoven	_____ auswendig (*by heart*)	_____ Leid	_____ geblieben
_____ zu Hause	_____ abwechseln (*to take turns*)	_____ weinen	_____ wohnen
_____ Superstar	_____ aufschreiben	_____ lieben	_____ unglaublich
_____ umstellen	_____ Wort	_____ grausam (*cruel*)	_____ verboten
_____ vorstellen	_____ schlafen	_____ traurig (*sad*)	_____ glauben

B. Schreiben Sie jetzt mit Vokabeln von Aufgabe A drei Aussagen über das Gespräch auf – entweder das, was die Leute gesagt haben, oder einfach etwas über das Gespräch, was Sie interessant gefunden haben. Wenn Sie damit fertig sind, machen Sie weiter mit Aufgabe C.

1. _____

2. _____

3. _____

C. Was ist die korrekte Reihenfolge für die Wörter in den folgenden Satzteilen? Schreiben Sie die Sätze genauso, wie Sie sie im Gespräch hören, und dann unterstreichen Sie das Subjekt in jedem Satzteil:

1. unser Stargast / wird / entscheiden / ob / sie / können / tun / es

_____

2. ... dass / wir / können / auswendig / jedes Lied / von den Prinzen

_____

3. ... dann / die Wette / ist / dass / ihr / müsst / küssen / euch

_____

Copyright © Houghton Mifflin Company. All rights reserved.

4. Natürlich / ein / Deutscher / hat / erfunden / *Wetten, dass ...?*

_____

5. keiner / der / hat / je (*ever*) / gesehen / mich / hätte / geglaubt / es

_____

Hörverständnis 2 *In den Sommerferien*

Martin und Sibylle sind Studenten an der Uni und sprechen über ihre Sommerferien – Sibylle will Martin erzählen, was ihre Familie im Sommer alles gemacht hat ... aber Martin hat Schwierigkeiten alles richtig zu verstehen.

A. Hören Sie sich das Gespräch an. Während Sie zuhören, schreiben Sie für jede Person unten ein paar Notizen auf – wann sie/er reist, mit wem, wohin, usw.

Der Bruder (Georg)

_____

_____

_____

_____

Die Eltern

_____

_____

_____

_____

Die Schwester (Dorothea)

_____

_____

_____

_____

Der Onkel (Manfred)

_____

_____

_____

_____

B. Nehmen Sie drei von diesen Leuten und schreiben Sie für jede Person einen Satz mit all diesen Informationen (wohin / wann / mit wem, usw.).

1. _____

_____

2. _____

_____

3. _____

_____

     Copyright © Houghton Mifflin Company. All rights reserved.

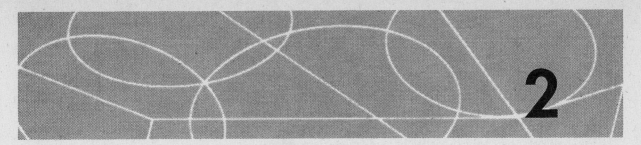

Hörverständnis 1 *Beim Psychiater*

Herr Frennich – seine zwei Vornamen sind Fritz Oskar, also Fritz O. Frennich – na ja, Herr Frennich hat ein Problem. Schon seit Tagen schläft er nicht mehr; er kann sich also nicht konzentrieren und jetzt hat er Angst, dass er seinen Job verliert. Was soll er machen? Na klar: er besucht den berühmten (*famous*) Psychiater Dr. Siggi Froid.

A. Hören Sie sich das Gespräch zweimal an. Das erste Mal schreiben Sie einige Wörter von Froids Test auf. Das zweite Mal schreiben Sie Fritz' Antworten auf diese Wörter.

Testwörter	Fritz' Antworten
1. _____	_____
2. _____	_____
3. _____	_____
4. _____	_____
5. _____	_____
6. _____	_____
7. _____	_____
8. _____	_____

B. Schreiben Sie mit der Information von Aufgabe A einige Sätze, die Dr. Froid vielleicht in sein Notizbuch geschrieben hat.

BEISPIEL   Froid sagt: „sprechen". Fritz sagt: „nur mit meiner Schwester".
Froid schreibt also: „Er spricht nur mit seiner Schwester."

1. _____
2. _____
3. _____
4. _____
5. _____
6. _____

Copyright © Houghton Mifflin Company. All rights reserved.

Hörverständnis 2 *Inserate*

Viele Leute lernen sich durch die Zeitung kennen. In Deutschland ist es noch üblicher als in Amerika, einen Partner oder eine Partnerin durch ein Inserat zu suchen. Aber in beiden Ländern beschreibt man sich oft so, dass man kaum (*hardly*) wieder zu erkennen ist. Hören Sie zu, wie sich Anita und Axel zum ersten Mal sprechen.

A. Lesen Sie zuerst die Liste von Eigenschaften und Aktivitäten. Dann hören Sie sich das Telefongespräch zweimal an. Versuchen Sie das erste Mal den Sinn des Gesprächs zu verstehen. Das zweite Mal kreuzen Sie an, ob das Wort in der Liste in Verbindung mit Axel oder aber mit Anita steht. Aber bitte aufpassen: Einige Wörter beschreiben vielleicht beide oder niemanden.

VOKABELN

Inserat, -e   personal ad in a newspaper
die Adria   the Adriatic Sea
reiselustig   (*adj.*) eager to travel
unternehmungslustig   enterprising
vielseitig   multifaceted
Begegnung   encounter
anstrengend   challenging, difficult
ausgeglichen   balanced
zur Abwechslung   for a change of pace
zum Ausgleich   to achieve balance
Großstadtstress   stress of big-city life
sich mit etwas auskennen   to be familiar with something
kinderlieb   fond of children
sich mit etwas beschäftigen   to occupy oneself with something
sich großartig geben   to show off, put on airs

Eigenschaften/Aktivitäten	Axel	Anita	niemand
reitet	_____	_____	_____
geht Windsurfing	_____	_____	_____
fotografiert	_____	_____	_____
Filmemacher(in)	_____	_____	_____
Designer(in)	_____	_____	_____
will heiraten	_____	_____	_____
reiselustig	_____	_____	_____
liebt Fremdsprachen	_____	_____	_____
romantisch	_____	_____	_____
Fotomodell	_____	_____	_____
sportlich	_____	_____	_____
Angeber(in) (*showoff*)	_____	_____	_____
will sich im Café treffen	_____	_____	_____
emigriert nach Italien	_____	_____	_____

   Copyright © Houghton Mifflin Company. All rights reserved.

Eigenschaften/Aktivitäten	Axel	Anita	niemand
liebt die Adria	_____	_____	_____
fährt Rad	_____	_____	_____
höchst intelligent	_____	_____	_____
geht barfuß am Strand	_____	_____	_____
sieht sich gern den Sonnenuntergang an	_____	_____	_____
liebt exotische Orte	_____	_____	_____

B. Werden sich Axel und Anita überhaupt treffen? Wenn schon, werden sie sich weiterhin noch so großartig geben, wie sie es anscheinend im Inserat getan haben? Geben Sie Gründe dafür oder dagegen an.

_____

_____

_____

_____

_____

_____

_____

_____

_____

_____

_____

_____

_____

Copyright © Houghton Mifflin Company. All rights reserved.

NAME _____ DATUM _____

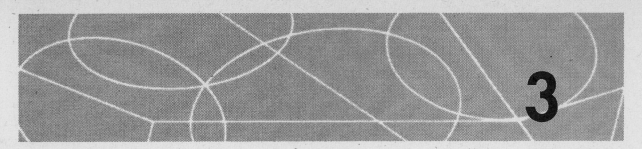

Hörverständnis 1 *Mal nach München*

Claudia ist letzte Woche zum allerersten Mal nach München gefahren. Sie hat sich sehr darauf gefreut und jetzt will sie ihrer Mutter erzählen, was alles passiert ist.

A. Zuerst lesen Sie die folgende Liste, dann hören Sie sich das Gespräch an und markieren die Partizipien, die Sie im Gespräch hören.

1. _____ angerufen
2. _____ geworden
3. _____ gewollt
4. _____ erzählt
5. _____ gestellt
6. _____ gesetzt
7. _____ losgefahren
8. _____ angekommen
9. _____ gestanden
10. _____ gelassen

11. _____ genommen
12. _____ gefahren
13. _____ herumgelaufen
14. _____ eingekauft
15. _____ gesucht
16. _____ gefragt
17. _____ gefunden
18. _____ gewesen
19. _____ gegessen

20. _____ getrunken
21. _____ geblieben
22. _____ verkauft
23. _____ hineingegangen
24. _____ gemacht
25. _____ spazieren gegangen
26. _____ gesehen
27. _____ gesprochen
28. _____ gekauft

B. Hören Sie sich das Gespräch noch einmal an; danach nehmen Sie einige von den Verben auf der Liste und schreiben Sie Aussagen im Perfekt über Claudias Besuch in München.

BEISPIEL Sie nehmen **gesucht.** Im Gespräch hatte das mit **Mittagessen** und **Restaurant** zu tun. Sie schreiben also: „Claudia hat zum Mittagessen ein gutes Restaurant gesucht."

1. _____

_____

2. _____

_____

3. _____

_____

4. _____

_____

Copyright © Houghton Mifflin Company. All rights reserved.

Hörverständnis 2 *Gerüchte (Rumors)*

Sophie erzählt ihrem Nachbarn Herrn Schwerhörig, was sie übers Wochenende gemacht hat. Er erzählt es seiner Nachbarin weiter, aber nicht ganz korrekt. Sie erzählt es noch einmal (aber auch nicht immer korrekt) einem jungen Mann, der Sophie kennt. Er ist so überrascht, dass er Sophie gleich anruft und ihr alles erzählt, was er über sie erfahren hat.

A. Hören Sie sich zuerst alle Gespräche an, nur um zu hören, was alle sagen. Dann hören Sie sich die Gespräche ein zweites Mal an und schreiben Sie ein paar kurze Notizen von den Fehlern (*mistakes*), die die Leute machen.

1. Herr Schwerhörig hat falsch verstanden: _____

_____

_____

_____

_____

2. Frau Wachsimohr hat falsch verstanden: _____

_____

_____

_____

_____

B. Jetzt sind Sie daran. Was sagt Sophie zu Ralf, damit er die Wahrheit (*truth*) versteht? Schreiben Sie die richtige Version von Sophies Wochenende auf. Wenn es nötig ist, dürfen Sie sich die Gespräche noch einmal anhören.

_____

_____

_____

_____

_____

_____

_____

_____

_____

_____

   Copyright © Houghton Mifflin Company. All rights reserved.

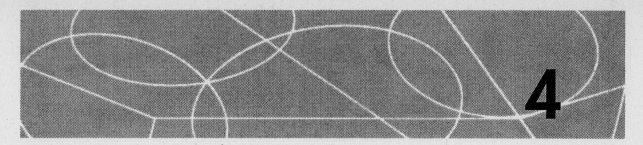

Hörverständnis *Was haben sie denn gesagt?*

Sie hören jetzt fünf kurze Szenen – manchmal mit zwei Leuten, manchmal nur mit einer Person. Bevor Sie sich jede Szene anhören, lesen Sie die Fragen hier dafür. Dann hören Sie sich die Szene an. Wenn die Szene zu Ende ist, stoppen Sie die Aufnahme (*stop/pause the recording*). Antworten Sie auf die Fragen für die Szene und dann beginnen Sie mit der nächsten.

Szene A

1. Schreiben Sie diese Sätze vom Gespräch fertig:

   a. Manni fehlt _____ ganz dringend (*desperately*) _____ Geld!

   b. _____ fehlt es ja auch _____ Geld, aber ich …

   c. … , dann passiert _____ was Schreckliches!

   d. Das nützt mir _____ .

2. Richtig oder falsch?

   _____ a. Der Vater von Lola kennt Manni nicht.

   _____ b. Die andere Frau im Gespräch will auch etwas Geld von Lolas Vater.

   _____ c. Lola ist dankbar für alles, was ihr der Vater gibt, egal (*regardless of*) wie viel.

Szene B

1. Eine von den Frauen, die hier sprechen, hat _____ a. vier Kinder.   _____ b. zwei Kinder.

2. „Es ist mir eingefallen." =   _____ a. Ich habe mich gerade daran erinnert.

   _____ b. Ich habe es gerade vergessen.

   _____ c. Ich habe es fallen lassen.

3. Welche vier Dativverben hören Sie hier im Gespräch?

   ____ a. genügen   ____ d. gehorchen   ____ g. schaden

   ____ b. passen   ____ e. nutzen   ____ h. schmeicheln

   ____ c. raten   ____ f. ähneln   ____ i. imponieren

Copyright © Houghton Mifflin Company. All rights reserved.
Aufgaben zum Hörverständnis ▪ 4 **189**

Szene C

1. Mit wem hat Max gerade vor einem Büro gesprochen? _____ a. mit Klaus _____ b. mit Hans

2. „Dem bin ich begegnet." = _____ a. Ich habe ihn von weitem (*from far away*) gesehen.

   _____ b. Ich habe ihn getroffen (*met*).

   _____ c. Ich hatte etwas gegen ihn.

Szene D

1. „Sie hat mir widersprochen." = _____ a. Sie hat etwas gegen meine Aussage gesagt.

   _____ b. Sie hat noch einmal gesagt, was ich gesagt habe.

   _____ c. Sie hat alles falsch gesagt, was sie sagen wollte.

2. Schreiben Sie einen Satz aus dieser Szene, in dem das Wort **passieren** vorkommt.

   _____

   _____

Szene E

1. „Es ist mir gelungen." = _____ a. Es ist problematisch.

   _____ b. Ich bin noch nicht fertig.

   _____ c. Ich habe es erfolgreich (*successfully*) gemacht.

2. Welche Vokabeln gehören zusammen?

   a. großes   _____ Küche

                      _____ Wohnzimmer

   b. Ich habe ... geraten   _____ Ihnen

                      _____ Sie

   c. neben   _____ die Küche

                      _____ der Küche

   d. entspricht   _____ meine Wünsche

                      _____ meinen Wünschen

   Copyright © Houghton Mifflin Company. All rights reserved.

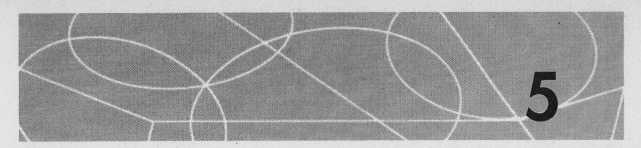

Hörverständnis *Artikel oder kein Artikel, das ist hier die Frage*

Oft gebraucht man die Artikel im Deutschen wie im Englischen – aber oft auch nicht. Manchmal sagt man auf Englisch **ein,** wo man im Deutschen **das** sagt; manchmal braucht man auf Deutsch keinen Artikel, wo Englisch einen braucht.

A. Jetzt hören Sie fünf Mini-Gespräche. Hören Sie gut zu, lesen Sie die Substantive unten für jedes Gespräch und schreiben Sie den Artikel, den Sie davor hören, auf. Wenn es keinen Artikel davor gibt, schreiben Sie ein **X.** (Aufpassen: Für einige Substantive gibt es zwei mögliche Antworten.)

> **BEISPIEL** Sie lesen „_____ Flöte". Sie hören im Gespräch; „Aber ich kann doch Flöte spielen."
> Schreiben Sie also: „_ **X**_ Flöte".

Gespräch 1: Ein Interview zur Bewerbung beim Außendienst (*foreign service*)

a. _____ Universität   c. _____ / _____ Schweiz   e. _____ USA

b. _____ Islam   d. _____ / _____ Iran

Gespräch 2: Kommst du mit ins Kino?

a. _____ / _____ Katrin   c. _____ Abendessen   e. _____ Klaus

b. _____ Bus   d. _____ Arbeit

Gespräch 3: Ja, aber können Sie *gut* spielen?

a. _____ Geige   c. _____ Klavier   e. _____ Gitarre

b. _____ Arbeit   d. _____ Schule

Gespräch 4: Und wie ist es bei dir?

a. _____ / _____ / _____ Eltern   c. _____ Beamter   e. _____ Hund

b. _____ Vater   d. _____ Lehrerin

Gespräch 5: O je, dieser Professor!

a. _____ Typ   c. _____ / _____ Bücher   e. _____ Student

b. _____ / _____ Professoren   d. _____ Uni

Copyright © Houghton Mifflin Company. All rights reserved.

VOKABELN

der Typ *here:* guy (*slang*)   **der Wahnsinn** craziness   **ironisch** sarcastic
'runterputzen to ridicule, demean   **verschieden** different   **nuscheln** to mumble

B. Hören Sie sich die Gespräche noch einmal an und markieren Sie die Sätze unten als richtig oder falsch.

	richtig	falsch
1. Beate interessiert sich sehr für den Nahen Osten.	_____	_____
2. Zuerst ist Beate für die USA, dann aber dagegen.	_____	_____
3. Wenn Markus Überstunden macht, muss er mit seinem Auto nach Hause fahren.	_____	_____
4. Der junge Musiker spricht von vier Instrumenten, die er spielen kann.	_____	_____
5. Dieser Musiker spielt seit zwei Jahren Trompete.	_____	_____
6. Beide Studenten in *Gespräch 4* sind neu an der Uni.	_____	_____
7. Der Student kennt den Bruder der Studentin.	_____	_____
8. Gabis Professor für Althochdeutsch ist vielleicht intelligent, aber seine Einstellung (*attitude*) gefällt ihr nicht.	_____	_____

   Copyright © Houghton Mifflin Company. All rights reserved.

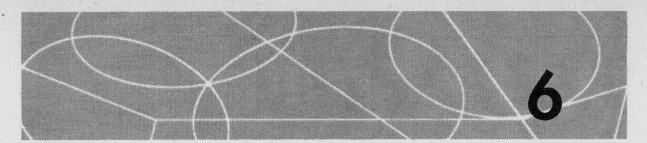

Hörverständnis 1 *Befehl ist Befehl*

Es gibt viele Situationen im Leben, wo man Befehle (*commands*) gibt und dazu den Imperativ braucht. Jetzt hören Sie sechs kurze Szenen, in denen jemand mit dem Imperativ spricht. Sie werden zwar nicht alles verstehen, aber genug, um die Situation und den Kontext zu erraten (*guess*).

A. Hier müssen Sie nur feststellen (*determine*), in welchen Situationen man diese Befehle gibt. Lesen Sie zuerst die Liste von Situationen unten. Dann hören Sie sich die Szenen an und schreiben Sie dabei **A, B, C, D, E** oder **F** in die richtige Lücke. Aufpassen: Es gibt mehr Lücken als Antworten! Sie können die Aufnahme (*recording*) stoppen, während Sie antworten.

1. _____ in einer Firma (*company*)

2. _____ kochen (*cooking*) lernen

3. _____ in einer Studentenwohngemeinschaft (*student shared housing*)

4. _____ beim Militär

5. _____ am Telefon mit einem Freund

6. _____ Auto fahren lernen

7. _____ Schnürsenkel binden lernen (*learning to tie one's shoes*)

8. _____ Klavier spielen lernen (**Klavier** = *piano*)

9. _____ Chorleitung (*choir directing*)

10. _____ eine Entführung (*kidnapping*)

11. _____ in der Kirche

12. _____ zu Hause mit einem Teenager

B. Lesen Sie zuerst die Beschreibungen unten und hören Sie sich die Monologe noch einmal an. Diesmal müssen Sie etwas präziser (*more precisely*) zuhören. Entscheiden Sie (*decide*), wer mit wem spricht, und schreiben Sie die richtigen Buchstaben (**A** bis **F**) in die Lücken. Noch einmal: Es gibt mehr Lücken als Antworten!

1. _____ Chordirigentin (*choir director*) in einer Kirche

2. _____ Chordirigentin in einer Grundschule (1.–4. Klasse)

3. _____ Pastor zu seiner Gemeinde (*congregation*)

4. _____ Vater zu seiner kleinen Tochter (vielleicht 4 Jahre alt)

5. _____ Vater zu seinen beiden Teenagern

6. _____ Vater zu seinem Sohn (vielleicht 17 Jahre alt)

Copyright © Houghton Mifflin Company. All rights reserved.

7. _____ Kochkurslehrerin zu einer Klasse von Erwachsenen (*adults*)

8. _____ Mutter zu ihrer Tochter in der Küche beim Kochen

9. _____ Mutter zu ihrer Tochter vor einer Party

10. _____ Studentin zu ihren Freunden in ihrer Wohnung

11. _____ Studentin zu zwei Arbeitern in ihrer Wohnung

12. _____ Fahrlehrer zu einem Lernenden im Auto

13. _____ Vater zu seinem Sohn, der gerade das Autofahren lernt

Hörverständnis 2 *Alles für die Liebe*

Markus und Dorothea sind seit sieben Monaten in einander verliebt – so haben sie zumindest gedacht. Seit den letzten paar Wochen aber sieht die Beziehung (*relationship*) nicht mehr so rosig aus. Eines Tages beginnt ein langes Gespräch für die beiden.

A. Lesen Sie zuerst diese Liste von Negationsvokabeln unten, dann hören Sie sich das Gespräch an. Kreuzen Sie die Vokabeln an, die Sie im Gespräch hören.

VOKABELN

klamüsern   to sort out; *here:* to explain in detail, bit by bit
schweigsam   quiet; *here:* unresponsive
etwas aufs Tapet bringen   to bring something out into the open
'rummoppern   (*slang*) to gripe, grumble

1. _____ nicht	7. _____ kein-	13. _____ nie
2. _____ nicht mehr	8. _____ nirgends	14. _____ noch nicht
3. _____ ich nicht	9. _____ ich ... auch nicht	15. _____ nicht einmal
4. _____ überhaupt nicht	10. _____ gar nicht	16. _____ keinesfalls
5. _____ lieber nicht	11. _____ kein- ... mehr	17. _____ niemand
6. _____ niemals	12. _____ gar kein-	18. _____ überhaupt nichts

B. Stellen Sie sich vor (*Imagine*), Markus und Dorothea gehen jetzt nach Hause und setzen sich allein an einen Tisch. Die beiden schreiben eine Liste von ihren Beschwerden (*complaints*) auf, wie in dem Gespräch. Hören Sie sich das Gespräch noch einmal an und schreiben Sie unten auf, was Markus oder Dorothea auf seine/ihre Liste schreibt. Schreiben Sie mindestens fünf Beschwerden auf. Verwenden Sie **nicht, kein-** oder andere Negationsvokabeln.

1. _____
   _____

2. _____
   _____

3. _____
   _____

4. _____
   _____

5. _____
   _____

   Copyright © Houghton Mifflin Company. All rights reserved.

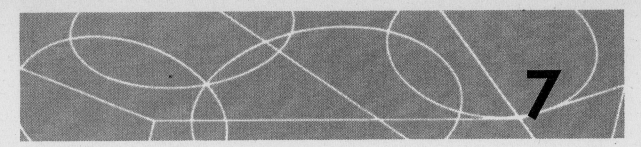

Hörverständnis *Geklaut!*

In der Nacht vom Samstag auf Sonntag ist einer jungen Studentin in Berlin das Geld aus der Tasche geklaut (*slang for* gestohlen: *stolen*) worden. Aber wie – und von wem? Hören Sie bei den Untersuchungsgesprächen zu, während fünf Leute ihre Geschichten erzählen – die Frau, die das Geld verloren hat, und vier Leute, die zu dieser Zeit mit ihr zusammen waren. Dann entscheiden Sie, wer wohl das Geld geklaut hat oder es klauen konnte.

Hören Sie gut zu, so oft Sie wollen. Sie können dabei für die Alibis Notizen machen, wenn das Ihnen eine Hilfe ist.

VOKABELN

gewiss *here:* particular
aufpassen + auf   to pay attention to
achten + auf   to pay attention to
feststellen   to realize
einen trinken gehen   to go for a drink

enttäuschend   disappointing
anschließend   following / after that
zirka   approximately

sich beruhigen   to calm down, relax
zwei andere Typen   two other guys
’rumgestanden   was standing around (with nothing to do)
sicherlich   of course

Menschenmenge   crowds of people
sich unterhalten   to engage in conversation, converse
’raufkommen   to come up (*here:* to the apartment)

Krankenschwester   nurse
eigentlich   actually
verlassen   to leave

Notizen

Nr. 1: _____

_____

_____

_____

Copyright © Houghton Mifflin Company. All rights reserved.

Nr. 2: _____

_____

_____

_____

Nr. 3: _____

_____

_____

_____

Nr. 4: _____

_____

_____

Nr. 5: _____

_____

_____

1. Wer hat das Geld gestohlen? _____

2. Was sind Ihre Gründe (*reasons*) für diese Entscheidung?

_____

_____

_____

_____

_____

_____

   Copyright © Houghton Mifflin Company. All rights reserved.

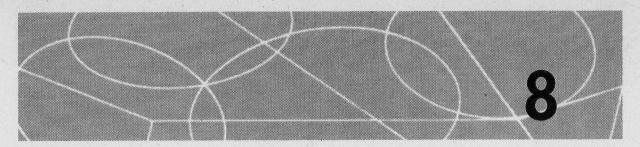

Hörverständnis 1 *Das Klassentreffen*

Herr Becker und Frau Stich waren vor fünfundzwanzig Jahren zusammen auf dem Gymnasium. Heute gibt es ein großes Klassentreffen (*reunion*) für alle ehemaligen (*former*) Gymnasiasten und die zwei sind dabei. Jetzt sitzen sie in einer Ecke, trinken eine Tasse Kaffee und sprechen über die Leute, die sie damals gekannt haben. Viele sind heute nicht dabei. Was ist aus diesen alten Freunden geworden?

Hören Sie dem Gespräch zu. Dann lesen Sie die folgenden Sätze und entscheiden Sie, welche Information die Sprecher geben.

	ist schon geschehen	wird noch geschehen (I. Futur)	wird wohl geschehen sein (II. Futur)
1. Michael: a. auf die Uni gehen	_____	_____	_____
b. Professor werden	_____	_____	_____
2. Bernhard: a. Probleme haben	_____	_____	_____
b. keine Arbeit finden	_____	_____	_____
c. etwas allein machen	_____	_____	_____
3. Georg: a. viel Geld verdienen	_____	_____	_____
b. ein Haus kaufen	_____	_____	_____
4. Gertrud: a. eine Galerie aufmachen	_____	_____	_____
b. alle vom Gymnasium vergessen	_____	_____	_____
5. Marianne: a. Franz heiraten	_____	_____	_____
b. Medizin studieren	_____	_____	_____
6. Renate: a. was anderes machen wollen	_____	_____	_____
b. Kindergärtnerin werden	_____	_____	_____

Hörverständnis 2 *Bericht über das EU-Gipfeltreffen*

Sie hören einen Bericht über ein wichtiges Treffen der Europäischen Union.

A. Lesen Sie zuerst die Fragen unten durch. Hören Sie sich dann den Bericht mindestens zweimal an. Versuchen Sie des erste Mal, ihn dem Sinn nach zu verstehen. Beim zweiten Mal kreuzen Sie die richtige Antwort **a, b** oder **c** an.

VOKABELN

Mitgliedstaaten member countries	**mithalten + mit** to keep up with
unter anderem among other things	**Fortschritt** progress
vor allem particularly	**Vertreter** representative
im Hinblick + auf in view of	**behaupten** to claim, make a statement
beitreten to join	**verlieren** to lose
etliche several	**erhöht** heightened
um einiges considerably, quite a bit	**Gipfeltreffen** summit meeting
heftig intense	**tiefgreifend** dramatic, drastic
fortsetzen to continue	

1. Woher kommt dieser Bericht?

    _____ a. aus Deutschland

    _____ b. aus Osteuropa

    _____ c. aus Griechenland

2. Ein Sprecher des Bundesamtes meint, in den nächsten 10 Jahren ...

    _____ a. wird die EU zusammenbrechen (*collapse*).

    _____ b. wird Deutschland mehr Kriminalität haben.

    _____ c. wird die EU größer.

3. Die Souveränität der einzelnen EU-Länder scheint ...

    _____ a. kein Problem darzustellen.

    _____ b. unwichtig zu sein.

    _____ c. ein problematisches Thema zu sein.

4. Die Opposition meint, dass eine größere EU ...

    _____ a. eine bessere Wirtschaft aber mehr Kriminalität bedeuten wird.

    _____ b. eine schwächere Wirtschaft aber dafür weniger Kriminalität bedeuten wird.

    _____ c. eine schwächere Wirtschaft und mehr Kriminalität haben würde.

5. Das Bundesamt will das Programm einer größeren EU ...

    _____ a. fortsetzen.

    _____ b. einstellen.

    _____ c. aufgeben.

   Copyright © Houghton Mifflin Company. All rights reserved.

B. Identifizieren Sie die Person, die jeden Satz im Text ursprünglich sagte. Bei der Frage **Wer hat das gesagt?** schreiben Sie **R** für den Reporter, **B** für den Bundesamtssprecher, oder **O** für die Opposition. Dann entscheiden Sie, ob der Satz im 1. oder 2. Futur steht, und kreisen Sie das ein.

1. Die Mitgliedstaaten der Europäischen Union werden sich nächste Woche in der griechischen Hauptstadt treffen.

   Wer hat das gesagt? _____

   Welche Futur-Form ist das?   1. Futur   2. Futur

2. Nach Berichten aus Brüssel wird es noch etliche Jahre dauern, bis diese Länder in die Struktur der EU voll integriert sind.

   Wer hat das gesagt? _____

   Welche Futur-Form ist das?   1. Futur   2. Futur

3. Wenn Deutschland diesen Weg weitergeht, werden wir unsere Souveränität verlieren.

   Wer hat das gesagt? _____

   Welche Futur-Form ist das?   1. Futur   2. Futur

4. Die EU wird in zehn Jahren bestimmt um einige Länder größer geworden sein.

   Wer hat das gesagt? _____

   Welche Futur-Form ist das?   1. Futur   2. Futur

5. Wie lange dauert es denn wirklich, bevor sich die neuen Länder werden integriert haben?

   Wer hat das gesagt? _____

   Welche Futur-Form ist das?   1. Futur   2. Futur

6. Dieses Gipfeltreffen wird wohl tief greifende Debatten auslösen.

   Wer hat das gesagt? _____

   Welche Futur-Form ist das?   1. Futur   2. Futur

Copyright © Houghton Mifflin Company. All rights reserved.

NAME _____ DATUM _____

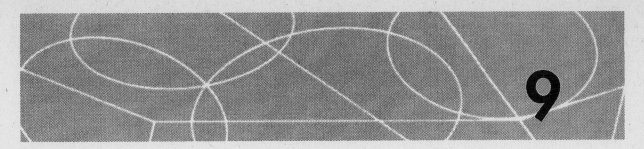

Hörverständnis 1 *Die Erbschaft*

Hartmut von Hinkelstein und Ursula von Hinkelstein sind Sohn und Tochter der sehr reichen „von Hinkelstein"-Familie. Ihre Eltern sind gerade gestorben und jetzt bekommen die Kinder eine große Erbschaft (*inheritance*). Heute also müssen die zwei Kinder entscheiden, wer was von dem Familienbesitz (*family possessions*) bekommt. Alles zu teilen (*divide*) aber ist nicht so einfach.

Hören Sie sich das Gespräch an und markieren Sie unten, wer was bekommt. Achten Sie dabei auf die Modalverben!

VOKABELN

kriegen bekommen
Mieze nickname for a cat

Gegenstand	Ursula	Hartmut	nicht sicher
Rolex-Uhr	_____	_____	_____
Haus in den Alpen	_____	_____	_____
Haus in Monte Carlo	_____	_____	_____
Goethe-Sofa	_____	_____	_____
Esstisch	_____	_____	_____
Jaguar	_____	_____	_____
Mercedes	_____	_____	_____
Tiffany-Lampe	_____	_____	_____
Vase vom Kaiser	_____	_____	_____
Picasso-Bild	_____	_____	_____
Bild von Elvis	_____	_____	_____
Shakespeare-Manuskripte	_____	_____	_____
Gutenberg-Bibel	_____	_____	_____
Katze	_____	_____	_____

Copyright © Houghton Mifflin Company. All rights reserved.

Hörverständnis 2 *Gruppentherapie*

Kennen Sie **Gruppentherapie?** Viele Leute finden so was hilfreich, einige Leute machen sich lustig darüber (*make fun of it*), aber fast alle haben irgendwie davon gehört. Nun, Gruppentherapie sollte „privat" sein, aber jetzt dürfen Sie sich ein Gespräch im Büro eines Psychologen anhören. Es sprechen hier vier Leute, also müssen Sie genau hinhören, damit Sie wissen, wer was sagt.

A. Hören Sie sich das Gespräch an. Unten finden Sie eine Liste von einigen Problemen, die diese Leute besprechen. Sprechen sie von einem Problem in der Vergangenheit oder von einem Problem, das sie jetzt noch haben?

Problem	damals	jetzt
1. Augen zumachen	_____	_____
2. alle Telefone schnell beantworten	_____	_____
3. im Wohnzimmer bleiben	_____	_____
4. drei Wochen nicht spielen	_____	_____
5. alles vom Teller aufessen	_____	_____
6. Mutter weinen sehen	_____	_____
7. nur alleine essen	_____	_____
8. andere Leute verbessern	_____	_____

B. Hören Sie sich das Gespräch nochmal an. Wählen Sie (*choose*) eine Person in der Gruppe und schreiben Sie ein paar Aussagen über die Probleme von ihm /ihr. Verwenden Sie dabei so viele Modalverben, wie Sie können.

_____

_____

_____

_____

_____

_____

   Copyright © Houghton Mifflin Company. All rights reserved.

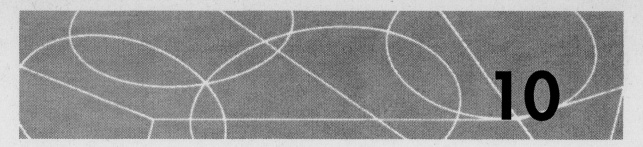

Hörverständnis *Präpositionen*

Sie hören jetzt Kombinationen von kurzen Sätzen – zuerst den Satz, den Sie unten finden, und dann drei andere. Unter (*among*) diesen anderen Sätzen (**a, b** und **c**) gibt es nur einen Satz, der dieselbe Bedeutung wie der erste Satz hat. Markieren Sie den richtigen Buchstaben für diesen Satz. Sie hören Sätze **a, b** und **c** zweimal.

BEISPIEL   Sie lesen und hören: „Das kleine Mädchen macht für die alte Frau die Tür auf." Sie hören:

a. Der alten Frau hat das kleine Mädchen die Tür aufgemacht.
b. Vor der alten Frau hat das kleine Mädchen die Tür aufgemacht.
c. Vor dem kleinen Mädchen hat die alte Frau die Tür aufgemacht.

Sie wissen, dass **für** hier fast identisch mit dem Dativ ist, also markieren Sie **a.**

	a	b	c
1. Die Kaffeemaschine ist leider außer Betrieb.			
2. Michael sagte, er bleibt wegen seiner Arbeit in der Bibliothek.			
3. Meine Freunde bleiben bis nächsten Dienstag bei uns.			
4. Der Mann war gegen drei Uhr im Geschäft.			
5. Karl ist vor uns gelaufen.			
6. Außer ihm saßen nur drei Leute im Restaurant.			
7. Der Bank gegenüber findet man ein interessantes Museum.			
8. Heute esse ich zu Mittag bei Ralf.			
9. Trotz des Eintrittspreises gehe ich mit ins Kino.			
10. Im Sommer fahren wir mit einer Gruppe nach Deutschland.			
11. Sie gingen nach dem Konzert zu Fuß durch die Stadt.			
12. Dem Chef nach geht es der Firma gut.			
13. Diese Frau ist schon seit zehn Jahren Pilotin.			
14. Er ist schon seit gestern bei uns zu Hause.			
15. Die Familie Borchert ist vorgestern von Heidelberg gekommen.			
16. *Die Physiker* ist ein Drama von Friedrich Dürrenmatt.			

Copyright © Houghton Mifflin Company. All rights reserved.

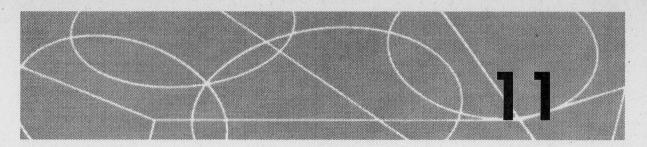

Hörverständnis 1 *Konjunktionen*

Für jeden Satz unten hören Sie drei Variationen. Ihre Aufgabe: Entscheiden Sie, welche Variation die Bedeutung des geschriebenen Satzes am besten ausdrückt (*expresses*). Sie hören die Variationen zweimal; dann markieren Sie die beste davon.

	a	b	c
1. Willst du nachher vielleicht ein Eis essen?	_____	_____	_____
2. Es ist wirklich sehr kalt. Aber ich glaube, ich gehe trotzdem spazieren.	_____	_____	_____
3. Am besten gehen wir zur Post und nachher auf die Bank.	_____	_____	_____
4. Dieser Professor muss ja glauben, dass wir nur *einen* Kurs haben – nämlich seinen!	_____	_____	_____
5. Sie sitzt stundenlang vor ihrem Fernseher und am Ende hat sie keine Arbeit gemacht.	_____	_____	_____
6. Ich denke, wir fahren lieber nach Hamburg ... Wien ist zu weit weg.	_____	_____	_____
7. Er sitzt im Wohnzimmer und liest ein Buch, und seine Frau arbeitet draußen im Garten.	_____	_____	_____
8. Könntest du mir den Tee aus der Küche bringen? Das wäre mir eine große Hilfe.	_____	_____	_____

Hörverständnis 2 *Urlaubspläne*

Frau Hubner will Urlaubspläne für ihre Familie machen und telefoniert mit einem Reisebüro. Sie ist aber nicht nur wählerisch (*picky, fussy*), sondern auch sehr vorsichtig mit ihrem Geld. Daher hat sie Schwierigkeiten, das richtige Angebot zu finden.

A. Lesen Sie zuerst die Aussagen unten. Hören Sie sich dann das Gespräch zweimal an. Versuchen Sie das erste Mal, den Sinn des Gesprächs zu verstehen. Das zweite Mal kreuzen Sie an, ob die Aussagen richtig oder falsch sind.

Copyright © Houghton Mifflin Company. All rights reserved.

VOKABELN

Prospekt   brochure
sich näher erkundigen   to ask for/get more information
selbstverständlich   certainly, of course
„Wer die Wahl hat, hat die Qual"   *lit.:* "whoever has a choice, has torment," i.e., it's so hard to choose
Erwachsene   adults
Jugendlicher   child, minor *here:* under 12
sparen   to save (money)
Das kommt auf ...   That comes to . . .
Verpflegung   *here:* the "board" in "room and board"
Flug   flight
Halbpension   one meal a day (besides breakfast, which is always included)
Kreuzfahrt   cruise
Pauschalangebot   all-inclusive package
bestimmte Reiseziele   certain travel destinations
sich etwas genauer angucken   to take a closer look at something

Richtig oder falsch? Schreiben Sie **R** oder **F** in die Lücke.

1. _____ Frau Hubner will nach Amerika fliegen.

2. _____ Familie Hubner geht Mitte August in Urlaub (*vacation*).

3. _____ Frau Hubner hat nur ein Kind unter 12 Jahren.

4. _____ Sie will nur den Flug, nicht Hotel und Verpflegung dazu.

5. _____ Sie interessiert sich mehr für Capri als für Marokko.

6. _____ Die Idee von einer Kreuzfahrt im Mittelmeer findet sie nicht schlecht.

7. _____ Pauschalangebote nach Marokko gibt es in diesem Reisebüro nicht.

8. _____ Von den Pauschalangeboten gibt es nur zwei Möglichkeiten im Prospekt.

B. Hören Sie sich das Gespäch noch einmal an und schreiben Sie die Konjunktionen in die Lücken, wie sie im Gespräch vorkommen (*occur*).

1. Mich interessieren _____ _____ die Billigflüge für

   Familien, ... _____ _____ das Programm

   „Romantische Reiseziele".

2. Hinfliegen können wir in der zweiten Augustwoche, _____ zurückfliegen

   wollten wir so zirka zehn Tage später.

3. _____ die [Kinder] unter 12 sind, fliegen die Kinder zum halben Preis.

4. _____ gehe ich nie wieder an Bord eines Schiffes!

5. Ja, _____ eben nicht nach Marokko.

6. Wir haben bestimmte romantische Reiseziele – das ist nur der Flug – _____

   wir haben die Familienflüge, das ist mit Hotel.

   Copyright © Houghton Mifflin Company. All rights reserved.

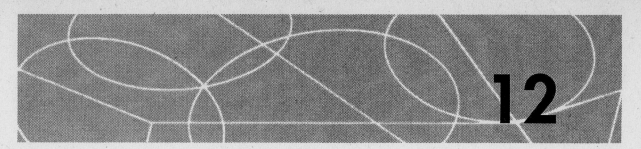

Hörverständnis 1 *Substantiv und Genus*

Sie hören zwanzig Substantive. Wenn Sie jedes Wort hören, schreiben Sie in die Lücke den korrekten Genus (*gender*) – **der, die, das** oder Plural **die.**

BEISPIEL   Sie hören „Tisch". Dann schreiben Sie **der** in die Lücke.

1. _____   6. _____   11. _____   16. _____

2. _____   7. _____   12. _____   17. _____

3. _____   8. _____   13. _____   18. _____

4. _____   9. _____   14. _____   19. _____

5. _____   10. _____   15. _____   20. _____

Hörverständnis 2 *Ein Märchen*

A. Hören Sie sich das folgende Märchen mindestens zweimal an. Bevor Sie das erste Mal zuhören, lesen Sie die zwei Spalten unten. Links stehen die Namen der Tiere, rechts ihre Eigenschaften, Aktionen oder Sprecharten. Versuchen Sie beim ersten Zuhören die Geschichte zu verstehen. Während Sie dem Märchen das zweite Mal zuhören, schreiben Sie die Buchstaben aus der rechten Spalte in die Lücken der linken Spalte. Für manche Lücken gibt es keine Antwort. Andere Lücken haben mehr als eine Antwort und dieselbe Antwort kann auch in mehr als eine Lücke gehören.

1. _____ Löwen

2. _____ Spinne

3. _____ Schafe

4. _____ Schwein

5. _____ Waschbär

6. _____ Ratte

7. _____ Ameise

8. _____ Bär

9. _____ Schmetterling

10. _____ Schlange

11. _____ Papagei

12. _____ Eule

a. brachte die Angst ins Tierenreich

b. brüllte(n) und zeigte(n) die Zähne

c. waren immer gut informiert

d. bereitete das königliche Essen vor

e. wieherte

f. stank

g. stachen

h. brachte(n) Nachrichten aus der Ferne

i. entpuppt sich

j. das schönste Wesen im Reich

k. war für ihre Weisheit bekannt

l. gaben ihre Wolle zum zum Spinnen und Weben

Copyright © Houghton Mifflin Company. All rights reserved.

13. _____ Mensch   m. sammelte Stoffe für die Spinne

14. _____ Zugvögel   n. war für Fleiß bekannt

15. _____ Taube   o. passte auf den Obstgarten auf

16. _____ Bienen   p. meckerte

17. _____ Wolf   q. webte schöne Stoffe

18. _____ Pferd   r. waren König und Königin

19. _____ Ziege   s. zischte

20. _____ Stinktier   t. zeigte die Zähne

B. Wie wird die Natur in diesem Märchen dargestellt? Ist sie nur gut und unschuldig? Ist der Mensch nur schlecht? Warum gibt es hier Konflikte? Welche Rolle spielt Gier und welche Kommunikation?

_____

_____

_____

_____

_____

_____

_____

_____

_____

_____

_____

_____

_____

_____

_____

_____

_____

    Copyright © Houghton Mifflin Company. All rights reserved.

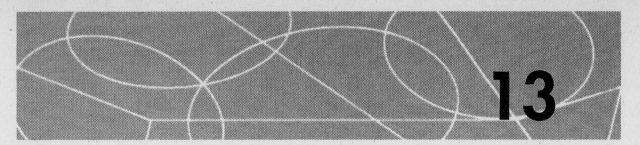

Hörverständnis 1 *Ein neues Haus*

Ein eigenes Haus – das ist der Traum von Herrn und Frau Schäl, denn sie haben jetzt so viele Möbel, dass sie mehr Platz brauchen als in der alten Wohnung. Heute sprechen sie darüber mit einer Maklerin (*real estate agent*).

A. Hören Sie sich das Gespräch an. Sind die Aussagen über die neuen Häuser richtig oder falsch?

VOKABELN

der Reiz	charm	**der Lärm**	noise
riesig	huge	**der Kamin**	fireplace
der Flur	hallway	**der Eintopf**	stew
die Nachbarschaft	neighborhood	**der Stock**	floor

	richtig	falsch
1. Das erste Haus, das sie sehen, hat ein kleines Wohnzimmer.	_____	_____
2. In dem weißen Haus gibt es kein Esszimmer.	_____	_____
3. Die Nachbarschaft vom zweiten Haus ist ruhiger als die vom ersten.	_____	_____
4. Das zweite Haus ist ein ganz altes Haus mit einem Kamin.	_____	_____
5. Der Kamin gefällt Herrn Schäl nicht.	_____	_____
6. Das dritte Haus gefällt Frau Schäl besonders gut.	_____	_____
7. Das moderne Haus hat eine Garage für zwei Autos.	_____	_____

B. In diesem Gespräch haben Sie viele Adjektivaussagen gehört (z.B.: „ein gemütliches Wohnzimmer"). Hören Sie jetzt wieder zu, finden Sie die Adjektive unten in dem Gespräch und schreiben Sie eine Aussage, in der Sie das Adjektiv gehört haben.

1. groß: _____

2. klein: _____

3. viel: _____

4. alt: _____

5. riesig: _____

6. teuer: _____

Copyright © Houghton Mifflin Company. All rights reserved.

Hörverständnis 2 *L. L. Bohne*

Während der nächsten vier Minuten arbeiten Sie am Telefon bei einem Versandhaus (*catalog retailer*). Einige Kunden (*customers*) werden Sie anrufen und alles bestellen, was sie aus dem Katalog wollen – Hemden, Hosen, Jacken, Socken, Schuhe, Pullover und natürlich kleine Messer aus der Schweiz.

A. Hören Sie zu und notieren Sie, was die einzelnen Kunden bestellen – mit Farbe, Anzahl (*number*) und Größe, natürlich.

Kunde 1: _____

_____

_____

Kunde 2: _____

_____

_____

Kunde 3: _____

_____

_____

Kunde 4: _____

_____

_____

Kunde 5: _____

_____

_____

B. Jetzt sind Sie fertig und die Firma will wissen, was Sie verkauft haben. Schreiben Sie die Information mit **viel-, einig-, ein-** oder **kein-;** schreiben Sie auch die richtigen Adjektive dazu.

BEISPIEL Pullover: *einige blaue Pullover*

Hemden: _____

Hosen: _____

Jacken: _____

Schuhe: _____

Socken: _____

Pullover: _____

Messer: _____

 Copyright © Houghton Mifflin Company. All rights reserved.

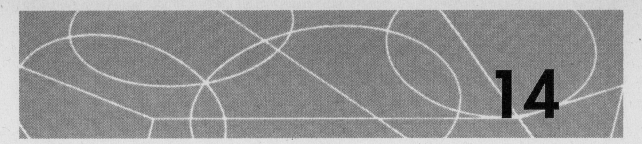

Hörverständnis 1 *Welcher E-Mail-Dienst ist der beste?*

Eine junge Frau möchte mit dem Mailen, also mit E-Mails anfangen und telefoniert mit GMX, einem bekannten deutschen E-Mail-Dienst. Mit der Angestellten von GMX spricht sie über verschiedene E-Mail-Angebote (*offers*) und vergleicht die Produkte von GMX.

A. Lesen Sie zuerst die Vokabeln, die zum Thema gehören, und die Fragen unten. Dann hören Sie sich das Gespräch an.

VOKABELN

Servicemöglichkeiten service options
sich da auskennen to be familiar with/
   knowledgeable about a given topic
Serviceleistungen service offers
anschaffen to purchase, buy
Speicherkapazität memory capacity
Stufen levels
günstig inexpensive
aufbewahren to save/keep
verzichten + auf to do without, forgo

ehrlich gesagt to be honest with you . . .
auffallen to notice: **Das ist mir aufgefallen**
einen Typen treffen to meet a guy
Visitenkarte business card
aufgehoben picked up
das gibt's ja nicht! that's amazing! I don't
   believe it!
zufällig by chance
was Sie nicht sagen you don't say

Welche der folgenden Komparativ- und Superlativformen verwenden die Frauen im Gespräch? Kreuzen Sie die Formen an, die Sie hier hören.

____ größer	____ eine größere Mailbox	____ am schnellsten
____ billiger	____ ein kleinerer Computer	____ langsamer
____ mehr	____ näher	____ genauso schnell
____ lauter	____ früher	____ nicht ganz so langsam
____ besser	____ am günstigsten	____ teurer
____ länger	____ die meisten Leute	____ der teuerste Plan
____ weniger		

Copyright © Houghton Mifflin Company. All rights reserved.

B. Hören Sie sich das Gespräch noch einmal an, wenn Sie wollen. Nehmen Sie zwei der GMX-Produkte und machen Sie sich Notizen. Mit diesen Notizen vergleichen Sie die zwei Produkte. In Ihrem Vergleich müssen Sie mindestens zwei Komparativformen verwenden.

FreeMail: _____

_____

_____

TopMail: _____

_____

_____

ProMail: _____

_____

Und nun Ihr Vergleich: _____

_____

_____

_____

_____

_____

_____

_____

Hörverständnis 2 *Reaktionen*

Unten finden Sie zehn Aussagen oder Fragen. Sie hören jede Aussage oder Frage dreimal, jedes Mal mit einer anderen Reaktion. Entscheiden Sie, welche Reaktion am besten ist, und markieren Sie **a, b** oder **c.**

	a	b	c
1. Wir sollten doch wenigstens eine Karte schicken, oder?	_____	_____	_____
2. Spätestens um drei sind wir da, denke ich.	_____	_____	_____
3. Bei uns ist es im Winter viel kälter als bei euch.	_____	_____	_____
4. Ich habe nur Zeit zwischen drei und vier Uhr.	_____	_____	_____
5. Wir können höchstens zwei Tage in den Bergen wandern.	_____	_____	_____
6. Der Chef sagte, er wollte mit mir ein längeres Gespräch haben.	_____	_____	_____
7. Die allerbesten Filme kommen doch aus Hollywood, oder?	_____	_____	_____
8. Der Junge ist ja verrückt – er fährt sein neues Auto immer schneller!	_____	_____	_____
9. Was machst du denn in deinen Kursen? Ich hab' zweimal so viele Bücher gelesen wie du!	_____	_____	_____
10. Am liebsten möchte ich dieses Mädchen einfach vergessen.	_____	_____	_____

 Copyright © Houghton Mifflin Company. All rights reserved.

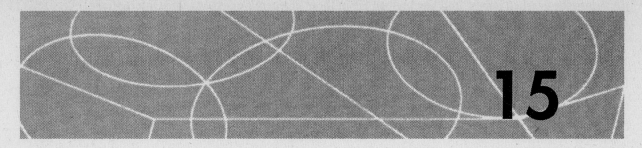

Hörverständnis *Der Bankraub*

Als Herr und Frau Meier auf die Bank gegangen sind, haben sie bestimmt nicht mit einem Bankraub gerechnet! Aber genau das ist passiert: zwei wilde Menschen sind hereingelaufen und haben mit Pistolen das Geld von den Bankangestellten gefordert (*demanded*). Ein paar Minuten, nachdem die zwei Räuber wieder hinausgelaufen sind, ist ein Polizist erschienen. Natürlich will er wissen, was passiert ist. Nun, Herr und Frau Meier haben alles gesehen – oder nicht? Denn das, was Herr Meier sagt, hat seine Frau ganz anders gesehen.

A. Hören Sie einmal nur zu, damit Sie die Geschichte gut verstehen. Dann hören Sie sich die Geschichte ein zweites Mal an und merken Sie sich besonders, wie der Polizist seine Fragen formuliert. Unten finden Sie ein paar Stichworte für seine Fragen. Finden Sie diese Fragen im Gespräch und schreiben Sie genau auf, wie der Polizist jede Frage *beginnt*. Sie können die Aufnahme stoppen, während Sie schreiben.

BEISPIEL Sie hören: „Wie spät war es, als die zwei durch die Tür gekommen sind?"
Sie schreiben: **Wie spät war es?** oder einfach **Wie spät?**

1. alles gesehen: _____

2. Tür/gekommen: _____

3. kommen/jede Woche: _____

4. Menschen/beteiligt: _____

8. genau gesehen: _____

6. ausgesehen: _____

7. bewaffnet: _____

8. Hut: _____

9. Kleidung/getragen: _____

10. Auto/geflohen: _____

11. gedauert: _____

12. sonst noch was: _____

Copyright © Houghton Mifflin Company. All rights reserved.

B. Hören Sie dem Gespräch wieder zu. Finden Sie dann zwei Beispiele, wo Frau und Herr Meier nicht dasselbe gesehen haben, und beschreiben Sie in Ihren eigenen Worten, was die Unterschiede (*differences*) sind.

1. _____

_____

_____

_____

2. _____

_____

_____

_____

   Copyright © Houghton Mifflin Company. All rights reserved.

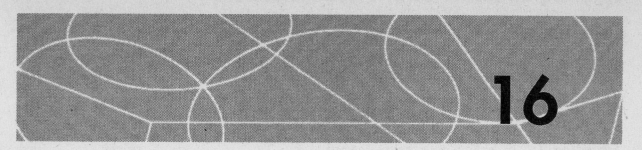

Hörverständnis 1 *Im Möbelgeschäft*

Herr und Frau Schäl brauchen neue Möbel für ihr Haus. Sie gehen in ein großes Möbelgeschäft, um sich ein bisschen umzuschauen (*to look around*). Manches gefällt ihnen, manches nicht und manches ist ihnen einfach zu teuer; darüber sprechen sie in diesem Dialog.

A. Bevor Sie sich das Gespräch anhören, lesen Sie die Sätze unten. Dann hören Sie sich das Gespräch an und markieren Sie die Sätze als richtig oder falsch.

	richtig	falsch
1. Der Schreibtisch, den Frau Schäl sieht, steht neben einer großen Lampe.	_____	_____
2. Die Familie Schäl hat ein Wohnzimmer mit nur einem Fenster.	_____	_____
3. Herr Schäl findet den schwarzen Esstisch nicht schön.	_____	_____
4. Herr Schäl ist froh, dass ihnen niemand vom Geschäft hilft.	_____	_____
5. Frau Schäl möchte das Wohnzimmer einrichten.	_____	_____
6. Herr Schäl will ein Picasso-Bild im Esszimmer haben.	_____	_____

B. Hören Sie sich das Gespräch noch einmal an, aber nur bis zu jedem Satz unten. Dann stoppen Sie die Aufnahme (*recording*) und schreiben Sie die Antwort auf:

1. „Welchen meinst du, den da drüben?"

   Den bezieht sich auf (*refers to*) _____.

2. „Wir können die woanders hinstellen, oder?"

   Die bezieht sich auf _____.

3. „Ich hab' die gleiche woanders gesehen, denke ich."

   Die gleiche bezieht sich auf _____.

4. „Nein, ach, warum denn nicht? Find' den modern und schön."

   Den bezieht sich auf _____.

5. „ ... wir können doch nicht die mit dem Sofa, das du magst ...."

   Die bezieht sich auf _____.

Copyright © Houghton Mifflin Company. All rights reserved.

Hörverständnis 2 *Ach, diese Ausländer*

Darren, ein junger Amerikaner, verbringt ein paar Wochen in Deutschland. Er ist froh, dass er endlich sein Deutsch ausprobieren (*try out*) kann, denn er lernt Deutsch schon seit zwei Semestern und er kann schon relativ viel. Aber leider, leider hat er noch nicht den **Wortschatz** von Kapitel 16 im *Handbuch* gelernt. Und so weiß er nicht, ob er **noch ein** oder **ein anderes** sagen soll.

Jetzt hören Sie vier kurze Dialoge. Hören Sie gut zu und entscheiden Sie, ob er alles richtig oder falsch gesagt oder verstanden hat. Wenn falsch, schreiben Sie die korrekte Version.

Situation 1:   In der Konditorei (*pastry shop/café*)   ____ richtig   ____ falsch

Wenn es falsch war, was wäre richtig? _____

_____

Situation 2:   Im Hotel am Meer (*ocean*).   ____ richtig   ____ falsch

Wenn es falsch war, was wäre richtig? _____

_____

Situation 3:   Vor dem Kino   ____ richtig   ____ falsch

Wenn es falsch war, was wäre richtig? _____

_____

Situation 4:   Am Telefon   ____ richtig   ____ falsch

Wenn es falsch war, was wäre richtig? _____

_____

   Copyright © Houghton Mifflin Company. All rights reserved.

17

Hörverständnis 1 *Die Einladung*

Herr und Frau Bieske gehen auf eine Party, aber eigentlich haben sie gar keine Lust dazu. Jetzt sind sie unterwegs im Auto und sprechen über die Situation – aber leider nicht sehr liebevoll.

A. Hören Sie sich das Gespräch im Auto an. Dann entscheiden Sie, ob die Sätze unten richtig oder falsch sind.

	richtig	falsch
1. Herr Bieske will zur Party, aber Frau Bieske nicht.	_____	_____
2. Herr Bieske fährt das Auto.	_____	_____
3. Frau Bieske kennt die Leute auf der Party besser als Herr Bieske.	_____	_____
4. Sie sprechen über eine Party, die sie vor drei Wochen besucht haben.	_____	_____
5. Damals ist Herr Bieske nach Hause gefahren.	_____	_____
6. Herr und Frau Bieske sagen Frau Schönler, dass sie sich erkältet haben.	_____	_____

B. Hören Sie sich das Gespräch noch einmal an und finden Sie fünf Beispiele von Reflexivverben. Schreiben Sie die Sätze vom Gespräch mit diesen Verben auf. Dann stoppen Sie die Aufnahme, während Sie schreiben.

> **BEISPIEL**   Sie hören „sich amüsieren" in einem Satz, also schreiben Sie den ganzen Satz aus dem Gespräch: „Du wirst dich heute Abend amüsieren."

1. _____
2. _____
3. _____
4. _____
5. _____

Hörverständnis 2 *Das Jobinterview*

Gerhard Eißler will einen Job – sofort (*immediately*)! Er hat eine Anzeige (*advertisement*) in der Zeitung gelesen, seinen Lebenslauf (*resumé*) hingeschickt und heute ist er beim Interview.

A. Zuerst lesen Sie die Liste von dem, was der Firma wichtig ist. Dann hören Sie sich das Interview an und markieren Sie, welche von diesen Eigenschaften (*qualities*) Gerhard hat.

1. ____ kommt aus Norddeutschland
2. ____ kann sich schnell anpassen
3. ____ hat studiert
4. ____ stabil (bleibt lange bei einer Firma)
5. ____ hat Computer gern
6. ____ könnte in Berlin wohnen
7. ____ fliegt gern
8. ____ enthusiastisch

9. ____ arbeitet gern und lang
10. ____ will viel reisen
11. ____ hat gute Referenzen
12. ____ kann schnell eine Entscheidung treffen
13. ____ weiß viel über Technik
14. ____ hat eine Frau und Kinder
15. ____ hat Spaß
16. ____ realistisch

B. Hören Sie noch einmal zu und entscheiden Sie: Wenn Sie die Frau wären, würden Sie Gerhard den Job geben oder nicht?

Ihm den Job geben: ____   Ihm den Job *nicht* geben: ____

Ihre Gründe (*reasons*): _____

_____

_____

_____

_____

_____

_____

_____

_____

_____

_____

_____

_____

_____

_____

_____

_____

    Copyright © Houghton Mifflin Company. All rights reserved.

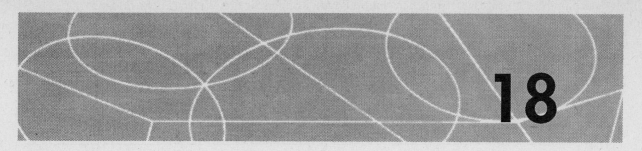

Hörverständnis *Ein kleiner Krimi*

Es war ein warmer Sommerabend. Simone Müller war allein im Haus. Da kam ein Dieb (*thief*) mit einem Messer. Aber hier ist nicht die Frage, *wer* es gemacht hat, sondern *wie* Simone später davon erzählt.

A. Hören Sie jetzt zu, während Simone mit einem Polizisten darüber spricht, und markieren Sie, welche Verbformen Sie hören. Ist das Verb mit **zu** oder ohne **zu,** mit Doppelinfinitiv oder mit Partizip?

Was hat die Frau gesagt?

1. ____ a. aufzumachen

   ____ b. aufgemacht

2. ____ a. vorbeizukommen

   ____ b. vorbeigekommen

3. ____ a. vorbeifahren

   ____ b. vorbeizufahren

4. ____ a. angehalten

   ____ b. anhalten

5. ____ a. die Polizei anzurufen

   ____ b. die Polizei angerufen

6. ____ a. alle Lichter auszumachen

   ____ b. alle Lichter ausmachen

7. ____ a. zu meinem Haus ... sehen

   ____ b. zu meinem Haus ... gesehen

8. ____ a. sein Gesicht zu sehen

   ____ b. sein Gesicht gesehen

9. ____ a. zum Telefon zu gehen

   ____ b. zum Telefon gehen

10. ____ a. die Polizei ... gelassen

    ____ b. die Polizei ... lassen

B. In dem **Wortschatz** von Kapitel 18 im *Handbuch* haben Sie besondere Funktionen von **lassen, zwingen** und **bringen** kennen gelernt. In der zweiten Hälfte von diesem Dialog gibt es ein paar Beispiele von diesen Wörtern. Hören Sie wieder zu und schreiben Sie den Satz für jedes Wort auf, wie Sie ihn im Dialog hören. Dann machen Sie Aufgabe C.

zwingen: _____

_____

lassen: _____

_____

bringen: _____

_____

Copyright © Houghton Mifflin Company. All rights reserved.

C. Jetzt wissen Sie, was diese arme Frau alles erlebt hat. Aber glauben Sie ihr? Mindestens dreimal hat sie sich in ihrer Aussage widersprochen (*contradicted*). Können Sie drei Widersprüche finden?

1. _____

   _____

   _____

   _____

2. _____

   _____

   _____

   _____

3. _____

   _____

   _____

   _____

   Copyright © Houghton Mifflin Company. All rights reserved.

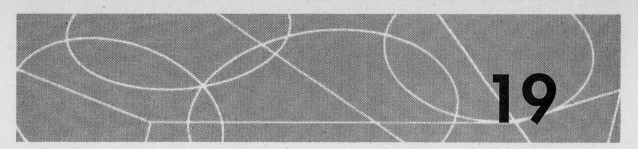

Hörverständnis 1 *Der Stadtplan*

Manfred, der Mann von Gabi, ist diese Woche auf einer Geschäftsreise in Süddeutschland. Am Donnerstag ruft er Gabi an, um zu fragen, wie es ihr geht. Er erzählt von seiner Reise, besonders von der kleinen Stadt Reutlingen, wo er jetzt übernachtet, denn er findet diese Stadt besonders schön. Seine Erzählung ist aber nicht immer ganz richtig.

Zuerst sehen Sie sich den Stadtplan an, den Sie unten finden. Dann hören Sie sich das Gespräch zweimal an. Das erste Mal hören Sie nur zu. Das zweite Mal schreiben Sie die falschen Aussagen auf, die Manfred macht.

Was hat Manfred falsch gesagt?

1. _____
_____

2. _____
_____

3. _____
_____

4. _____
_____

5. _____

Copyright © Houghton Mifflin Company. All rights reserved.

Hörverständnis 2 *Ein Märchen*

Hören Sie gern Märchen (*fairy tales*)? Hoffentlich ja, denn jetzt müssen Sie sich eins anhören, ob Sie wollen oder nicht.

A. Hören Sie sich das Märchen an. Sind die Aussagen unten richtig oder falsch?

VOKABELN

die Hexe   witch
Genehmigung   permission, license
Zaun   fence
aus Wut   out of anger
Konservierungsmittel (*pl.*)   preservatives

	richtig	falsch
1. Der Vater der Kinder ist tot.	_____	_____
2. Im Wald hat es bis zu dem Tag viel geregnet.	_____	_____
3. Sie kommen am Spätnachmittag zum Zuckerhaus.	_____	_____
4. Den Zucker essen die Kinder nicht, sondern das Gemüse.	_____	_____
5. Die Hexe sagt, dass die Kinder bei ihr übernachten sollen.	_____	_____
6. Die Kinder stellen der Hexe viele Fragen und dann gehen sie hinein ins Haus.	_____	_____

B. Hören Sie sich das Märchen noch einmal an und markieren Sie die richtige Antwort bei den Fragen unten.

1. Das Märchen beginnt:

   _____ a. „Es gab einmal ...“

   _____ b. „Es waren einmal ...“

2. Wenn die Hexe sagt: „Dazu bin ich ja da!“, dann meint sie:

   _____ a. „Ich bin da, um ihnen etwas zu essen zu geben.“

   _____ b. „Ich bin da, um zu dem Zuckerhaus zu gehen.“

3. Wenn die Hexe sagt: „ ... und dabei bleibt es“, dann meint sie:

   _____ a. „ ... und so wird es sein.“

   _____ b. „ ... und es bleibt bei dem Haus.“

4. Wenn das kleine Mädchen sagt: „ ... wir haben doch versprochen, ihr dabei zu helfen“, dann bedeutet das:

   _____ a. „Wir werden Mutti helfen, wenn sie das Recycling macht.“

   _____ b. „Wir werden neben Mutti stehen, wenn sie das Recycling macht.“

   Copyright © Houghton Mifflin Company. All rights reserved.

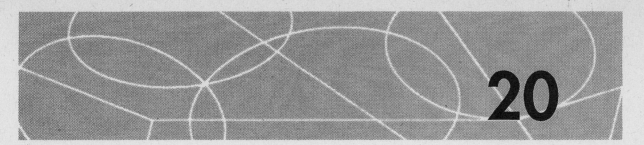

Hörverständnis 1 *Ach, das Studentenleben!*

Jürgen, ein Student in Heidelberg, ruft seinen Vater an. Warum? So wie viele Studenten braucht er mehr Geld von zu Hause.

In diesem Telefongespräch hören Sie nur den Vater, aber Sie können auch raten (*guess*), was Jürgen sagt. Hören Sie gut zu, dann markieren Sie, ob die Aussagen unten richtig oder falsch sind. Sie dürfen so oft zuhören, wie Sie wollen.

		richtig	falsch
1.	Jürgens Vater hat auch in Heidelberg studiert.	_____	_____
2.	Jürgen arbeitet jetzt und verdient etwas Geld, aber er braucht noch mehr.	_____	_____
3.	Jürgen hat drei Vorlesungen an der Uni.	_____	_____
4.	Als der Vater Student war, hat er zehn bis fünfzehn Stunden in der Woche gearbeitet.	_____	_____
5.	Als er Student war, sagt der Vater, hatte er fast nichts zu essen gehabt.	_____	_____
6.	Jürgen hat einen Fernseher gekauft.	_____	_____
7.	Der Sohn hat auch ein Auto gekauft und sein Vater ist dagegen.	_____	_____
8.	Der Vater sagt, dass Jürgen alle vierzehn Tage um mehr Geld bittet.	_____	_____
9.	Der Vater möchte eine neue Wohnung finden.	_____	_____
10.	Der Vater denkt, dass er besser Englisch kann als sein Sohn.	_____	_____
11.	Der Vater hat mal in Kalifornien studiert.	_____	_____
12.	Jürgen meint, dass sein Vater keinen Spaß beim Studium verstehen kann.	_____	_____
13.	Der Vater wünschte, dass sein Sohn eine Reise nach Paris machen könnte, aber der Sohn hat nicht genug Geld dafür.	_____	_____
14.	Der Vater hat genug Geld für Jürgen bei sich zu Hause, sagt er.	_____	_____
15.	Der Vater hat positive Erinnerungen an seine Studienjahre in Heidelberg.	_____	_____

Copyright © Houghton Mifflin Company. All rights reserved.

Hörverständnis 2 *Wie wär's mit dem Konjunktiv?*

Sie hören jetzt fünf kurze Dialoge, bei denen der Konjunktiv irgendeine Rolle spielt. Hören Sie zuerst zu, um die Gespräche zu verstehen, dann lesen Sie die Aussagen für jedes Gespräch. Hören Sie jedem Gespräch noch einmal zu und markieren Sie die beste Antwort für jede Frage.

1. _____ a. Christina geht zum Picknick.

   _____ b. Sie geht vielleicht zum Picknick.

   _____ c. Sie geht nicht zum Picknick.

2. _____ a. Christine geht zum Picknick.

   _____ b. Sie geht vielleicht zum Picknick.

   _____ c. Sie geht nicht zum Picknick.

3. _____ a. Die Frau war heute früher mit Prof. Schmitz zusammen.

   _____ b. Sie sieht Prof. Schmitz heute etwas später.

   _____ c. Sie hat von der Arbeit des Studenten heute morgen gewusst.

4. _____ a. Er gibt ihr die Arbeit nicht, obwohl sie Prof. Schmitz nicht mehr sieht.

   _____ b. Er hätte dem Professor seine Arbeit gestern geben sollen.

   _____ c. Er hätte dem Professor seine Arbeit gestern geben können.

5. _____ a. Der junge Mann hat nicht geweint.

   _____ b. Er denkt, er hat zu viel geweint.

   _____ c. Der junge Mann hat gesagt, dass die Reaktion seiner Freundin extrem war.

   Copyright © Houghton Mifflin Company. All rights reserved.

21

Hörverständnis 1 *Erweiterte Partizipialkonstruktionen*

Im Deutschen ist es üblicher als im Englischen, lange, komplizierte Sätze zu sprechen, besonders in einer Nachrichtensendung im Radio.

A. Zuerst hören Sie den komplizierten Satz, so wie er im Radio gesprochen wird. Dann hören Sie drei oder mehr Sätze, von denen nur einer die Bedeutung des Originalsatzes hat. Kreuzen Sie den richtigen Buchstaben an. Sie hören jeden Satz zweimal.

VOKABELN

Unterstützung   support
Entwicklungshilfe   foreign aid for developing countries
Gewerkschaft   trade union
Kürzungen   cutbacks
Sozialleistungen   social services
versteigern   to auction

1. ____ a.   ____ b.   ____ c.
2. ____ a.   ____ b.   ____ c.
3. ____ a.   ____ b.   ____ c.
4. ____ a.   ____ b.   ____ c.
5. ____ a.   ____ b.   ____ c.

B. Schreiben Sie für jeden Satz zwei einfachere Sätze ohne erweiterte Partizipialkonstruktion. Stoppen Sie die Aufnahme nach jedem Satz.

1. Helmut Kohl feierte die seit Adenauer längste Amtszeit.

_____

_____

2. Laut einem seit kurzer Zeit bestehenden Gesetz darf ein Kind nur noch einen Familiennamen haben.

_____

_____

3. Die Deutsche Bibliothek in Frankfurt hat die seit langer Zeit in New York ausgestellte Sammlung bekommen.

_____

_____

Copyright © Houghton Mifflin Company. All rights reserved.

4. Die Bundesregierung will die seit Jahrzehnten vernachlässigten ostdeutschen Kulturstätten weiterhin unterstützen.

_____

_____

5. Die von Niederösterreich umgebene Hauptstadt Wien ist auch ein Bundesland.

_____

_____

Hörverständnis 2 *Was gibt's im Fernsehen?*

Herr und Frau Schmitz sitzen am Abend zu Hause, nur für sich allein. Aber was machen? Na klar: den Fernseher gleich anmachen und hinglotzen (*stare at*). Welche Sendung aber? Das ist nicht so einfach.

Lesen Sie die Titel der Sendungen, die zu sehen sind. Dann hören Sie zu, während Herr und Frau Schmitz darüber sprechen. Welche Sendung passt zu den Details unten? Schreiben Sie den korrekten Buchstaben in die Lücke. Aber passen Sie auf: es gibt mehr Sendungen als Lücken. Sie können sich jede Beschreibung so oft anhören, wie Sie wollen.

Die Sendungen, über die Frau und Herr Schmitz sprechen, heißen:

a. *Mach Platz auf der Bank*   d. *Hitparade*

b. *Frank ist 'raus*   e. *Drogen? – Nein, danke!*

c. *Nacht der lebendigen Toten*   f. *Sport am Montag*

1. _____ Man spricht mit einem Mann und mit einer Frau, die bald heiraten.

2. _____ Ein Mann – ein Krimineller – ist gegen den Mann, für den er früher gearbeitet hat.

3. _____ Ein Horrorfilm, in dem tote Menschen zurückkommen und andere Menschen auffressen (*devour*).

4. _____ Ein Mann arbeitet zusammen mit einem Mann, den er gut kennt.

5. _____ Die Familie von Herrn Schmitz sieht diese Sendung sehr gern, wenn sie ihn besucht.

   Copyright © Houghton Mifflin Company. All rights reserved.

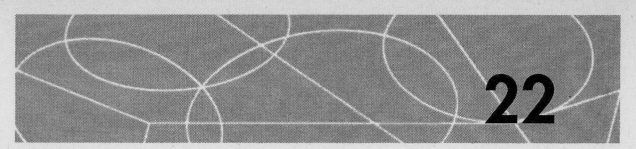

Hörverständnis *Ein bisschen Mathematik*

Für dieses Kapitel gibt es acht kleine Aufgaben mit Zahlen. Hören Sie gut zu und rechnen Sie gut mit!

A. Lesen Sie die Zahlen unten (geschrieben wie in Deutschland) und dann markieren Sie die Zahl, die Sie für jede Frage hören.

1. ____ a. 762   2. ____ a. 1598   3. ____ a. 29.034

   ____ b. 726   ____ b. 15.098   ____ b. 29,034

   ____ c. 2706   ____ c. 5189   ____ c. 29.304

B. Hören Sie sich das Gespräch an und markieren Sie die richtigen Telefonnummern von Herrn Eisler (**E**) und Frau Gärtner (**G**).

1. ____ 0 17 52/28 73   4. ____ 0 71 26/58 41 17

2. ____ 0 71 25/38 27   5. ____ 0 17 25/82 37

3. ____ 0 18 62/85 41 70   6. ____ 0 78 26/85 41 17

C. Christoph hat sehr sportliche Freunde! Einige haben beim Heidelberger Marathon mitgemacht und sind eigentlich sehr gut gelaufen. Jetzt spricht Christoph mit einem Freund darüber. Hören Sie gut zu, dann antworten Sie auf die Fragen.

Wer ist schneller gelaufen?

1. ____ a. Georg   oder   ____ b. Katharina

2. ____ a. Marianne   oder   ____ b. Martin

3. ____ a. Gerhard   oder   ____ b. Katharina

D. Ein bisschen Schulmathe. Hören Sie zu, schreiben Sie mit und geben Sie Ihre Antwort.

1. Notizen: _____   Antwort: _____

2. Notizen: _____   Antwort: _____

Copyright © Houghton Mifflin Company. All rights reserved.

E. Zahlen sind besonders wichtig auf einer Bank. Hören Sie jetzt zu und stellen Sie fest (*determine*), wie viel Geld diese Frau bekommt. Wenn Sie wollen, machen Sie sich ein paar Notizen.

VOKABELN

die Quittung   receipt
der Schein   paper money, bill

1. Notizen: _____

_____

2. Wie viel Geld nimmt die Frau? _____

F. Hören Sie noch einmal gut zu, während diese Leute miteinander sprechen, und antworten Sie dann auf die Fragen nach jedem Gespräch.

1. Wie lange dauerte der Film?

_____ a. 180 Minuten   _____ b. mehr als 200 Minuten   _____ c. mehr als 240 Minuten

2. Wie lange war die Vorlesung noch interessant?

_____ a. etwa 60 Minuten   _____ b. etwa 20 Minuten   _____ c. etwa 45 Minuten

G. Zwei Studenten treffen sich an der Uni nach der langen Sommerpause und sprechen über ihre Sommerarbeit. Hören Sie gut zu und antworten Sie auf die Fragen.

VOKABELN

gejobbt = gearbeitet (often used for part-time or seasonal student employment)
anstrengend   difficult, exhausting
Dosenfabrik   canning factory
boah!   wow

1. Wie viel hat der Student verdient? _____

2. Wie viel hat die Studentin verdient? _____

H. Angela ist vor kurzem nach Italien gegangen, um dort Kunstgeschichte zu studieren. Jetzt telefoniert sie zum ersten Mal aus Italien mit ihrer alten Freundin Ursula in Österreich. Hören Sie zu und antworten Sie auf die Frage.

Was sagt Ursula wahrscheinlich dazu?

_____ a. Das ist ja wie im Sommer hier in Österreich!

_____ b. Ja? Dann ist es ebenso kühl wie bei uns.

_____ c. Ja? Da gibt es schon Eis?

   Copyright © Houghton Mifflin Company. All rights reserved.

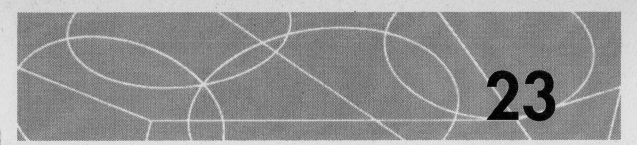

Hörverständnis 1 *An der Hotelrezeption*

Sie hören jetzt ein Gespräch an der Rezeption eines kleinen Hotels. Zwei Angestellte (*employees*) sprechen über die Reservierungen für diese Woche.

A. Hören Sie zu und füllen Sie die Tabelle (*chart*) unten aus – wann die Gäste angekommen sind und wann sie abgereist sind. Ein wichtiger Tipp: „heute" bedeutet hier Freitag.

BEISPIEL   Sie hören, dass Herr Schmidt „heute Abend" ankam.

Unter dem Wort **Freitag** markieren Sie **A** für **Abend.** Dann markieren Sie auch, wann er das Hotel verlässt.

	Mittwoch			Donnerstag			Freitag			Samstag		
	V	N	A*	V	N	A	V	N	A	V	N	A
Herr Schmidt												
Frau Gabler												
Herr und Frau Weiß												
Herr Müller												
Familie Burkhart (4)												
Frau Beckert												

*V = Vormittag; N = Nachmittag; A = Abend

B. Mit der Information auf dieser Tabelle beantworten Sie die folgenden Fragen:

1. Wer war am Mittwochabend im Hotel? _____

2. Wie viele Gäste waren Freitagmorgen da? _____

3. Wie viele Leute essen am Samstagmorgen dort ihr Frühstück?

    ____ 9   ____ 6   ____ 4   ____ 8

4. An welchem Abend haben sie die wenigsten Leute zu Gast? _____

    _____

5. Wie heißen die Leute, die am längsten bleiben? _____

    _____

Copyright © Houghton Mifflin Company. All rights reserved.

Hörverständnis 2 *In den Schweizer Alpen*

Sie hören die Erzählung von einem kleinen Abenteuer (*adventure*) in der Schweiz. Zuerst lesen Sie die Fragen unten, dann hören Sie sich die Geschichte an. Sind die Aussagen über die Geschichte richtig oder falsch?

VOKABELN

die Kühe cows	**der Bach** stream
Klamotten (*slang*) clothes	**Heuschuppen** barn (**Heu** = *hay*)
die Hütte hut	**die Glocke, -n** bell
nass wet	

	richtig	falsch
1. Nach oben auf den Berg zu kommen dauerte ungefähr zwei Stunden.	_____	_____
2. Der Erzähler musste mehr als eine Stunde herumlaufen, bevor er die Hütte gefunden hat.	_____	_____
3. Während er die Hütte suchte, hat's geregnet.	_____	_____
4. Er fand die Hütte um Viertel nach acht am Abend.	_____	_____
5. Gegen 22.30 Uhr gingen sie alle dann ins Bett.	_____	_____
6. Er konnte nicht einschlafen – erst ein paar Stunden, nachdem er ins Bett gegangen war, schlief er ein.	_____	_____
7. Nach dem Frühstück ist er sofort zurück ins Tal gefahren.	_____	_____
8. Dem Erzähler hat diese Nacht nicht viel Spaß gemacht.	_____	_____

   Copyright © Houghton Mifflin Company. All rights reserved.

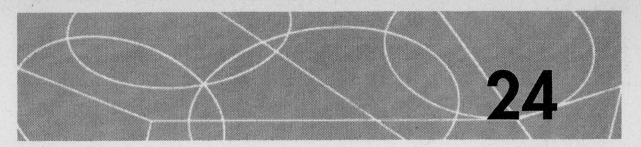

Hörverständnis 1 *Ach, die Liebe ...*

Beziehungen ... manchmal schön, manchmal schön stressig. Zwei Studenten, Klaus und Renate, sprechen darüber. Es ist nämlich so: Klaus dachte, es war alles in Ordnung zwischen ihm und Claudia, Renates Freundin. Jetzt aber weiß er nicht mehr, wie es aussieht. Er möchte mit Renate in einer Studentenkneipe darüber sprechen.

Lesen Sie zuerst die Fragen unten. Dann hören Sie sich das Gespräch an und markieren Sie die Antworten. (Wenn Sie die Vokabeln in Übungen A und B von Kapitel 24 im *Handbuch* noch nicht kennen, sollten Sie diese zuerst wiederholen.)

VOKABELN

zugewunken	waved (at)	**sich wagen**	to dare	**d'rum**	therefore
der Mut	courage	**beschäftigt**	busy	**ewig**	forever

1. Nachdem er Claudia zum ersten Mal gesehen hat, hat er sie sofort (*immediately*) angerufen, oder hat er nicht gewusst, was er machen sollte?

   _____ a. sofort angerufen   _____ b. nicht gewusst

2. Klaus spricht über ihre Spaziergänge im Stadtpark. Sagt er, dass sie das sehr selten, nur manchmal oder sehr oft gemacht haben?

   _____ a. sehr selten   _____ b. nur manchmal   _____ c. sehr oft

3. Waren Klaus und Claudia in den ersten Wochen ihrer Beziehung sehr oft, relativ oft, oder nur manchmal zusammen?

   _____ a. sehr oft   _____ b. relativ oft   _____ c. nur manchmal

4. „Bisher hab' ich gedacht, Mensch, das ist doch die Frau fürs Leben", sagt Klaus. Was meint er damit?

   _____ a. Er dachte eine Weile, sie war die Frau fürs Leben, aber jetzt ist er nicht mehr so sicher.

   _____ b. Klaus denkt schon seit dem Anfang: das ist die Frau fürs Leben.

5. Er hat Claudia einmal mit Markus gesehen. War das vor einigen Tagen oder vor einem Monat?

   _____ a. vor einigen Tagen   _____ b. vor einem Monat

6. Was sagt Klaus?

   _____ a. Er hat auf Claudia und Markus in der Kneipe gewartet.

   _____ b. Er hat nicht damit gerechnet, sie dort zusehen.

   _____ c. Er wollte sich mit den beiden dort in der Kneipe treffen.

Copyright © Houghton Mifflin Company. All rights reserved.

Hörverständnis 2 *Wie ich den Mauerbau erlebt habe ...*

Alle Deutschen, die den Mauerfall 1989 erlebt haben, können sich bestimmt sehr gut an diesen Tag erinnern, und alle haben eine Geschichte zu erzählen, *wie* sie ihn erlebt haben. Seltener hört man jemanden davon berichten, wie es war, als die Mauer im Sommer 1961 in der Nacht vom 12. auf den 13. August gebaut wurde.

Hören Sie sich jetzt die Erinnerungen des Erzählers an. Passen Sie besonders auf die Adverbien auf, die die Reihenfolge der Aussagen in seiner Geschichte klarmachen. Dann ordnen Sie die Information in Ihrem Arbeitsheft nach der korrekten Reihenfolge. Sie können die Geschichte so oft wiederholen, wie Sie wollen.

VOKABELN

Bezirk   area, district
außerhalb   outside of
Besitz   property, possession
Boden   ground, property
Lautsprecher   loudspeaker
unbestimmte Zeit   indefinitely
Verkehrsmöglichkeiten   transportation options
alle Stunde   once an hour
nichts tat sich   nothing happened
völlig   completely
umgeben   to surround
Verbindungen   connections
hermetisch abgeschlossen   hermetically sealed off
es ist bei mir eingebrochen (*slang*)   it finally hit me
Ansage   announcement

Ordnen Sie die Fakten der Geschichte chronologisch, mit 1, 2, 3 usw.:

_____ a. Am Lautsprecher hörte er: „Bitte finden Sie andere Verkehrsmöglichkeiten ...“

_____ b. Das Konzert, auf dem er mit den Skifflebabys spielte, war fertig.

_____ c. Er wartete auf den Bus.

_____ d. Der Mauerbau um West Berlin war gerade fertig.

_____ e. Er fuhr mit der S-Bahn zur Station Westkreuz.

_____ f. Der Zug, in dem er saß, blieb auf einmal stehen.

_____ g. Er hatte wieder Kontakt mit seiner Freundin.

_____ h. Es ist ihm schließlich klar geworden: Berlin war hermetisch abgeschlossen.

_____ i. Er ging ins Bett.

_____ j. Mit der S-Bahn ist er nach Spandau gefahren.

_____ k. Er wachte auf und machte das Radio an.

   Copyright © Houghton Mifflin Company. All rights reserved.

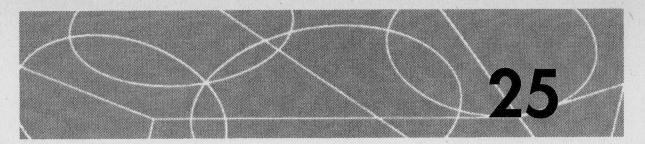

Hörverständnis 1 *Internet im Klassenzimmer*

In diesem Gespräch hören Sie die Meinung von zwei Lehrern zum Thema Internet im Unterricht.

A. Hören Sie das erste Mal zu, um die Ideen der zwei Leute zu verstehen. Dann entscheiden Sie, ob die Aussagen unten richtig oder falsch sind.

VOKABELN

Hinsicht   regard, respect
Ansicht   opinion
Aufmerksamkeit   attention
Anschluss   connection
widmen   to dedicate
befürworten   to approve of; to propose
Fertigkeit   skill
sich irren   to be mistaken
etwas Gescheites (*slang*)   something intelligent/sensible
verkümmern   to die away
überholen   to pass up, surpass
belasten   to burden
Bruchteil   fraction

	richtig	falsch
1. Beide Lehrer wollen alle Klassenzimmer ans Internet anschließen.	_____	_____
2. Herr Schnur meint, dass Computerkenntnisse wichtiger sind als die Fähigkeit kritisch zu denken.	_____	_____
3. Frau Beck sagt, es ist die Aufgabe der Schule, allen Schülern und Schülerinnen einen Job zu finden.	_____	_____
4. Herr Schnur wirft Frau Beck vor, sie lebe in der Vergangenheit.	_____	_____
5. Frau Beck sagt, dass Lesen, Rechnen und Schreiben am heutigen Arbeitsplatz relativ unwichtig sind.	_____	_____
6. Frau Beck nennt die jetzige Situation eine Revolution.	_____	_____
7. Herr Schnur will keine Briefe mehr schreiben, weil er lieber E-Mail benutzt.	_____	_____
8. Herr Schnur meint, das größte Problem ist ein Informationsmangel.	_____	_____
9. Frau Beck würde sich wahrscheinlich als Realistin bezeichnen.	_____	_____
10. Herr Schnur sagt, Computer sind relativ unwichtig im Klassenzimmer, aber die beste Lösung für ein internationales Verständnis.	_____	_____

Copyright © Houghton Mifflin Company. All rights reserved.

B. Hören Sie noch einmal zu und achten Sie auf den Gebrauch der so genannten Abtönungspartikeln. Unten finden Sie die Sätze und Phrasen aus dem Dialog, in denen Partikeln vorkommen. Umkreisen Sie die Partikeln, dann übersetzen Sie die Aussagen ins Englische.

1. Es ist halt ganz klar. _____

2. ... und zwar jedes Klassenzimmer. _____

3. Wieso denn unverantwortlich? _____

4. Das müsste man eigentlich von Ihrer Ansicht behaupten. _____
_____

5. Und wenn Sie bloß die Augen aufmachen würden, würden Sie schon merken, ...
_____
_____

6. Mit [dieser] Grundlage ... hat man ja Computer überhaupt konzipiert. _____
_____

7. Wir sind jetzt eben im Zeitalter der Information. _____
_____

8. Lernende werden halt belastet mit dieser Flut von Informationen ... _____
_____

9. Aber Herr Kollege! _____

10. Wenn jemand Kontakt mit dem Ausland haben will, soll er doch einen Brief schreiben. _____
_____

 Copyright © Houghton Mifflin Company. All rights reserved.

NAME _____ DATUM _____

Hörverständnis 2 *Was sagst du dazu?*

Jetzt hören Sie acht kurze Dialoge – aber halt ohne die letzten Worte vom nächsten Gesprächspartner. Das ist eben Ihre Aufgabe: Hören Sie sich den Dialog an, lesen Sie die Satzteile unten und markieren sie die Aussage aus dem **Wortschatz,** die am besten zum Dialog passt.

BEISPIEL Sie hören: Jörg! Schön, dass ich dich sehe!
– Grüß dich, Simone.
Ich weiß, du hast es eilig, aber kannst du mir einen Moment helfen?
– Ich würde gern, weißt du, aber die Vorlesung ...
Ach, bitte – nur fünf Minuten!

Was sagt Jörg? _____ a. Also gut. _____ b. Das ist es eben. _____ c. Na also.

Die beste Antwort wäre „Also gut" – also markieren Sie diese Aussage.

1. Bettina:

_____ a. Das ist aber wahr!

_____ b. Das darf doch nicht wahr sein!

_____ c. Das ist es eben!

2. Andrea:

_____ a. Na, das wird schon stimmen.

_____ b. Na, also!

_____ c. Es wird schon gehen.

3. Christoph:

_____ a. Na, also!

_____ b. Mal sehen.

_____ c. Aber nein!

4. Harald:

_____ a. Tja, mal sehen.

_____ b. Also, gut.

_____ c. Das ist aber wahr!

5. Barbara:

_____ a. Na, also!

_____ b. Das wird schon stimmen.

_____ c. Das ist es eben.

6. Angelika:

_____ a. Also doch!

_____ b. Was *ist* denn?

_____ c. Das ist aber wahr!

7. Stephan:

_____ a. Ich denke schon.

_____ b. Mal sehen.

_____ c. Das ist es eben!

8. Monika:

_____ a. Was *ist* es?

_____ b. Also, gut.

_____ c. Also doch!

Copyright © Houghton Mifflin Company. All rights reserved.

NAME _____ DATUM _____

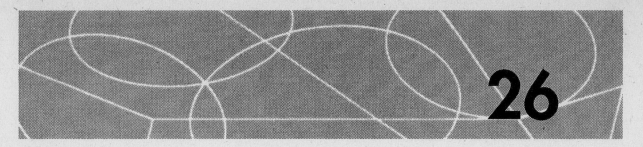

Hörverständnis 1 *Fotos vom Urlaub*

Viele Leute fotografieren gern im Urlaub, was natürlich eine gute Idee ist, solange die Nachbarn und Freunde sich die Bilder nicht anschauen *müssen*. Leider sind nicht alle Urlauber so höflich. Wolfgang und Gertrud Bieske, zum Beispiel, die gerade von ihrer ersten Amerikareise zurückgekommen sind, haben ihre Nachbarn für den Abend eingeladen. Nach einem kleinen Essen holt Wolfgang den Projektor hervor, und die Nachbarn wissen nur zu gut, was kommt.

A. Lesen Sie die Liste von verschiedenen Dingen, die Herr und Frau Bieske *vielleicht* gesehen haben. Dann hören Sie dem Gespräch zu. Markieren Sie die Dinge, die sie *wirklich* gesehen haben.

_____ 1. Flughafen   _____ 6. Hotel   _____ 11. Bus

_____ 2. Flugzeug   _____ 7. Fernseher   _____ 12. Indianer

_____ 3. Taxifahrer   _____ 8. Autovermietung   _____ 13. Garage

_____ 4. Geschäftsmann   _____ 9. Kaufhaus in New York   _____ 14. Supermarkt

_____ 5. Polizist   _____ 10. ein zweites Auto   _____ 15. McDonald's

B. Hören Sie sich das Gespräch noch einmal an und achten Sie auf die Vokabeln, die Sie unten finden. Schreiben Sie für jedes Wort den Relativsatz, den Sie im Gespräch hören.

BEISPIEL   das Wort ist *Frau*

                Sie hören: „Da seht ihr die Frau, die uns im Flugzeug bedient hat ...“

                Sie schreiben: *die Frau, die uns im Flugzeug bedient hat.*

1. das Flugzeug: _____

2. das Mittagessen: _____

3. die Fabriken: _____

4. der Polizist: _____

5. Leute: _____

6. das erste: _____

7. das Beste: _____

8. die Frau: _____

9. alles: _____

10. Hotel: _____

Copyright © Houghton Mifflin Company. All rights reserved.

Hörverständnis 2 *Relativ einfach*

Jetzt hören Sie acht ganz kurze Dialoge, die Relativsätze verwenden. Hören Sie sich jeden Dialog an und dann schreiben Sie die fehlenden (*missing*) Wörter in die Lücken. Dabei sollen Sie darauf achten, welche Relativpronomen verwendet werden und warum. Sie hören jeden Dialog zweimal.

1. A: Du, wie geht's mit dem Geschäft?

   B: Nicht gut: _____, _____ wir investiert haben, haben wir verloren.

2. A: Sie wollten mit mir sprechen?

   B: Ja, es gibt _____, _____ ich mit Ihnen reden muss.

3. A: Kennst du ihren Bruder?

   B: Meinst du _____, _____ sie immer erzählt?

4. A: Nee, also ... diesen Professor kann ich einfach nicht verstehen.

   B: Ich auch nicht. Ist doch schade, nicht? Denn _____, _____ wir letztes Semester hatten, war doch Spitze.

5. _____ Passagier, _____ Koffer vor dem Lufthansa-Schalter gelassen wurde, wird zum Lufthansa-Büro gebeten, bitte.

6. A: Du, wie war der Abend mit Andreas?

   B: Ach, nicht schlecht. Aber weißt du, ich möchte _____ finden, _____ gern über Politik und solche Sachen diskutiert. Vom Fußball habe ich mehr als genug gehört.

7. A: Es war furchtbar laut in dem Restaurant heute Abend, oder?

   B: Also, wenn ich's sagen darf: _____, _____ Kinder sich so benehmen, sollten die Kleinen einfach zu Hause lassen.

8. A: Kommst du gut mit in deiner Mathe-Vorlesung?

   B: Es gibt _____, _____ ich verstehe, und _____, _____ ich halt nicht verstehe.

   Copyright © Houghton Mifflin Company. All rights reserved.

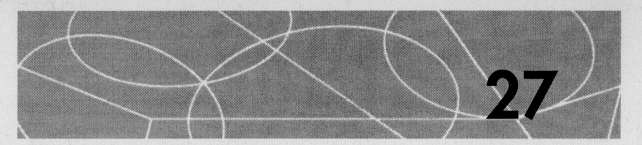

Hörverständnis 1 *Direkt gesagt*

Bei indirekter Rede muss man aufpassen, dass die Information im Originalsatz treu (*faithfully*) wiedergegeben wird. In dieser Aufgabe lesen Sie den Originalsatz; dann aber müssen Sie entscheiden, welche Version von indirekter Rede diese Information am besten wiedergibt.

Lesen Sie zuerst die „direkte" Rede, während Sie den Satz hören, dann hören Sie sich die drei indirekten Versionen an und markieren Sie die korrekte Indirekt-Form des Satzes. Sie hören alle Sätze zweimal.

		a	b	c
1.	Angela wiederholte: „Ich will heute noch mit ihm sprechen."	_____	_____	_____
2.	Alfred sagte: „Ich war mit ihr damals befreundet."	_____	_____	_____
3.	Ralf fragte Inge: „Bist du denn mit der Matheaufgabe fertig?"	_____	_____	_____
4.	Der Lehrer meinte: „Sie erinnert mich an eine Figur aus der Antike."	_____	_____	_____
5.	Weinend fragte mich das kleine Kind: „Haben Sie meine Mutti gesehen?"	_____	_____	_____
6.	Die Leute beteuerten Alfred Ill: „Niemand will Sie töten!"	_____	_____	_____
7.	Anna sagte uns am Montag: „Was für ein Wochenende! Ich fuhr mit Andreas in die Schweiz!"	_____	_____	_____

Copyright © Houghton Mifflin Company. All rights reserved.

Hörverständnis 2 *Der Bürgermeister spricht*

Lesen Sie zuerst die Rede des Bürgermeisters in Ihrem Arbeitsheft. Dann hören Sie sich die Reportage darüber von drei verschiedenen Journalisten an. Welcher Reporter hat die Rede des Bürgermeisters am besten wiedergegeben?

Die Tischrede des Bürgermeisters:

„Sehr geehrte Damen und Herren, es freut mich außerordentlich, heute Abend hier in Ihrer Mitte zu sein, um mit Ihnen zusammen der Presse und der Weltöffentlichkeit die großzügige Stiftung von Frau Zachanassian bekannt zu geben (*announce*). Sie schenkt uns eine Milliarde: 500 Millionen an die Stadt und 500 Millionen auf alle Familien der Stadt verteilt. Eine einmalige Schenkung, ein großartiges Experiment. Wie Sie wissen, will Frau Zachanassian durch diese Schenkung nur eines: sie will Gerechtigkeit (*justice*). Wieso? Wir müssen es zugeben: Jahrelang haben wir in der Ungerechtigkeit gelebt, zum Teil wissend, zum Teil unwissend. Meine Damen und Herren, für uns ist dies ein entscheidender Moment. Wollen wir so weiterleben? Oder wollen wir Schluss machen mit dem, was wir jahrelang unter uns geduldet (*condoned, tolerated*) haben? Sie wissen alle, wovon ich rede. Und ich weiß, ich spreche im Namen der Stadt, im Namen unserer humanistischen Tradition, wenn ich sage: Keine Minute mehr wollen wir ungerecht leben! Wir wollen im Sinne der Nächstenliebe leben, nicht im Sinne der Heuchelei (*hypocrisy*). Und daher entscheiden wir uns für die Gerechtigkeit! Es gibt kein Zurück, und es darf keins geben!

Wer hat die Rede korrekt wiedergegeben?

Reporter A ____

Reporter B ____

Reporter C ____

Copyright © Houghton Mifflin Company. All rights reserved.

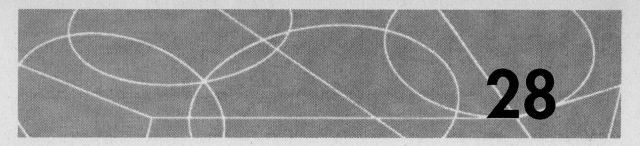

Hörverständnis 1 *Auf in den Urlaub!*

Die Familie Hertel plant schon seit Monaten eine Reise nach Marokko und heute sollte es losgehen. Die Fahrt zum Flughafen sollte in einigen Minuten beginnen, aber alles ist noch nicht fertig. Hier besprechen sie die Frage: Was muss noch getan werden?

A. Hören Sie dem Gespräch einmal zu, um alles zu verstehen. Dann hören Sie noch einmal zu und ergänzen Sie (*complete*) die Tabelle unten.

> **BEISPIEL** Sie lesen **Kaffeemaschine**.
> Sie hören, dass die Kaffeemaschine schon abgeschaltet worden ist.
> Also würden Sie **schon getan** auf der Tabelle markieren.

was?	schon getan	wird jetzt getan	muss getan werden
Kaffeemaschine	_____	_____	_____
Garage/sauber machen	_____	_____	_____
Essen/Kühlschrank	_____	_____	_____
Passe (*passports*)	_____	_____	_____
Sonnenbrillen	_____	_____	_____
Jacke	_____	_____	_____
Badeanzüge	_____	_____	_____
Fenster	_____	_____	_____
Licht im Keller	_____	_____	_____
Fernseher/Stereo	_____	_____	_____
Bad/Toilette	_____	_____	_____
Warnsystem	_____	_____	_____

Copyright © Houghton Mifflin Company. All rights reserved.

B. Der Vater hat ein Problem mit den **Autoschlüsseln** (*car keys*), wie Sie gerade gehört haben, und drückt (*expresses*) dieses Problem mit zwei Alternativen zum Passiv aus. Wie sagt er das?

1. _____

2. _____

C. Glücklicherweise hat der Vater die Autoschlüssel gefunden; „ ... die waren die ganze Zeit im

Zündschloss!" Raten Sie mal, was Zündschloss bedeutet: _____

Hörverständnis 2 *Nur nicht Passiv!*

Wie Sie im *Handbuch* gelesen haben, gibt es einige Alternativen zum Passiv. In dieser Aufgabe lesen und hören Sie Sätze beider Art (*of both kinds*) – mit Passiv und mit den Alternativen dazu.

Lesen Sie jeden Satz unten. Für jeden Satz hören Sie denn drei Versionen vom Satz, mit oder ohne Passiv. Sie hören diese Versionen zweimal. Entscheiden Sie, welche Version die Information des geschriebenen Satzes am besten wiedergibt.

	a	b	c
1. Man schickte ihm den Brief schon vor einigen Tagen.	_____	_____	_____
2. Georg braucht etwas Hilfe.	_____	_____	_____
3. Darüber lässt sich später entscheiden.	_____	_____	_____
4. Hat man diese Autos in Amerika oder in Japan hergestellt?	_____	_____	_____
5. Man lässt diese Studentenheime renovieren.	_____	_____	_____
6. Es gibt heute Abend eine Feier (*celebration*)!	_____	_____	_____
7. Man sollte doch der Frau zu ihrem Erfolg (*success*) gratulieren.	_____	_____	_____
8. Bin ich aber froh, dass der Computer-Virus entdeckt worden ist!	_____	_____	_____

   Copyright © Houghton Mifflin Company. All rights reserved.

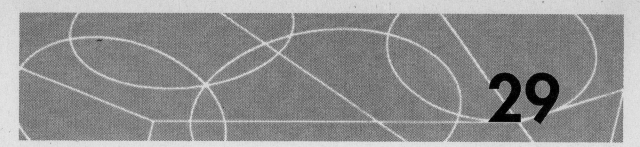

Hörverständnis *Situationen*

Jetzt hören Sie einige kurze Situationen. Man kann jede Situation in einem Satz mit einem Präfixverb umschreiben.

Für jede Situation lesen Sie zuerst die zwei Sätze unten. Dann hören Sie sich den Dialog an und markieren Sie den Satz, der am besten passt.

BEISPIEL Im Dialog geht es darum, dass die Batterie in Hans' Auto kaputt ist. Die zwei Sätze dafür sind:

_____ a. Hans muss seine Batterie besetzen.

_X_ b. Hans muss seine Batterie ersetzen.

ersetzen heißt *to replace* – also markieren Sie den zweiten Satz (b).

1. Beim Anziehen vor der Party

_____ a. Der Mann hat in den letzten Monaten zugenommen.

_____ b. Der Mann hat in den letzten Monaten abgenommen.

2. Die Explosion

_____ a. Die Nachbarn haben vergessen das Gas in der Küche anzudrehen.

_____ b. Die Nachbarn haben vergessen das Gas in der Küche abzudrehen.

3. Ein Sprung ins frische Wasser

_____ a. Beim Schwimmen will niemand vorgehen.

_____ b. Beim Schwimmen will niemand nachgehen.

4. Eine goldene Pistole

_____ a. Die Frau im Film hat ihren Mann erschossen.

_____ b. Die Frau im Film hat auf ihren Mann geschossen.

5. Das Versprechen

_____ a. Die Frau hat sich bei der Zeit versprochen.

_____ b. Die Frau hat ihm die Zeit versprochen.

Copyright © Houghton Mifflin Company. All rights reserved.

6. Bei der Semesterprüfung

_____ a. Die Frau meint, sie braucht noch eine Minute.

_____ b. Die Frau meint, sie verbraucht noch eine Minute.

7. Parks oder Parken?

_____ a. Die Frau glaubt, dass das Parkhaus den Park stören wird.

_____ b. Die Frau glaubt, dass das Parkhaus den Park zerstören wird.

8. Beim Arzt

_____ a. Der Arzt begreift nicht, warum sein Patient so viele Probleme hat.

_____ b. Der Arzt ergreift seinen Patienten nicht.

9. Der Mechaniker weiß doch alles!

_____ a. Der Mechaniker hat das Problem erkannt.

_____ b. Der Mechaniker hat das Problem verkannt.

10. Die letzte Antwort

_____ a. Der Mann hat die Antwort erraten.

_____ b. Der Mann hat die Antwort verraten.

   Copyright © Houghton Mifflin Company. All rights reserved.

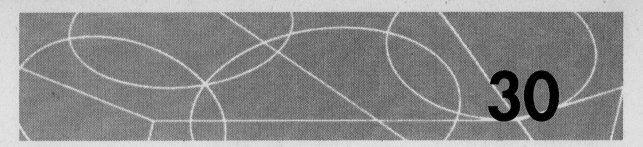

30

Hörverständnis 1 *Präpositionen*

Sie hören zehn komplizierte Sätze und jeweils drei einfachere Umschreibungen (*paraphrases*). Schreiben Sie den Buchstaben der Umschreibung in die Lücke, die den Sinn des komplizierteren Satzes am besten wiedergibt. Sie hören alle Sätze zweimal.

VOKABELN

bestechen   to bribe
veröffentlichen   to publish
berücksichtigen   to take into consideration
dementsprechend   correspondingly
sich aufregen   to get upset
sich scheiden lassen   to get divorced
Herausforderung   challenge

1. ____   6. ____
2. ____   7. ____
3. ____   8. ____
4. ____   9. ____
5. ____   10. ____

Hörverständnis 2 *Perspektive*

In diesem Stück hören Sie die Geschichte einer Frau, die 1937 aus Österreich flüchtete. Beachten Sie, was im Laufe des Stückes passiert und was sich im Stück verändert.

A. Schauen Sie sich zuerst die Vokabeln unten an. Hören Sie sich dann das Stück an und versuchen Sie die Erzählung dem Sinn nach zu verstehen. Dann lesen Sie die folgenden Fragen und hören Sie sich das Stück mindestens noch einmal an. Versuchen Sie die Fragen zu beantworten.

Copyright © Houghton Mifflin Company. All rights reserved.

VOKABELN

Bewusstsein consciousness
Sinne senses
erregen to excite, stimulate
Strudel *here:* whirlpool, eddy
Drehung rotation
verarbeiten to process
Bildhauerin (*fem.*) sculptor
leidenschaftlich passionately
Stellenwert rank in priority
Schönheitskriterium criterion for beauty
Selbstbild self-image
Botschaft embassy

jemandem auffallen to notice someone
einflussreich influential
Palaver senseless talk
aufhetzen provoke
wahrnehmen to apprehend, perceive
anflehen to implore
jemandem etwas ansehen to notice by looking at someone
schmeicheln to flatter
überreichen to deliver
ausnutzen to take advantage of
zweifelhaft doubtful
Schutzengel guardian angel

1. Wie alt ist die Erzählerin?

   _____ a. 50 Jahre alt.

   _____ b. 85 Jahre att.

   _____ c. 58 Jahre alt.

2. Wo lebt die Erzählerin heute?

   _____ a. In Paris.

   _____ b. In Wien.

   _____ c. Weiß man nicht.

3. Wer hat die verfälschten Papiere für die Schwestern organisiert?

   _____ a. Der Mann von der Botschaft.

   _____ b. Die Erzählerin.

   _____ c. Die Schwester der Erzählerin.

4. Wo hat die Erzählerin den Krieg verbracht?

   _____ a. In London.

   _____ b. In New York.

   _____ c. In Paris.

5. Der Mann an der Botschaft ...

   _____ a. ... hatte keine Vorurteile (*prejudices*).

   _____ b. ... hat die Erzählerin ausgenutzt.

   _____ c. ... hat der Erzählerin und ihrer Schwester geholfen.

6. Die Erzählerin und ihre Schwester haben den Krieg überlebt, ...

   _____ a. ... weil sie nach Paris gingen, wo es keine Nazis gab.

   _____ b. ... weil sie beide eine falsche Identität hatten.

   _____ c. ... weil sie nach Amerika gingen.

 Copyright © Houghton Mifflin Company. All rights reserved.

7. Welches Wort charakterisiert die Erzählerin?

_____ a. zynisch

_____ b. hoffnungsvoll

_____ c. faul

8. Was macht die Erzählerin heute?

_____ a. Sie feiert ihren Geburtstag.

_____ b. Sie arbeitet wie jeden Tag.

_____ c. Sie versucht ihre Vergangenheit zu verdrängen (*suppress*).

9. Was ist die Ezählerin heute von Beruf?

_____ a. Übersetzerin

_____ b. Dolmetscherin

_____ c. Bildhauerin

B. Schreiben Sie Ihre Reaktion auf dieses Stück. Finden Sie es hoffnungsvoll, deprimierend, relevant für heute? Was halten Sie von der Erzählerin?

_____

_____

_____

_____

_____

_____

_____

_____

_____

_____

_____

_____

_____

Copyright © Houghton Mifflin Company. All rights reserved.